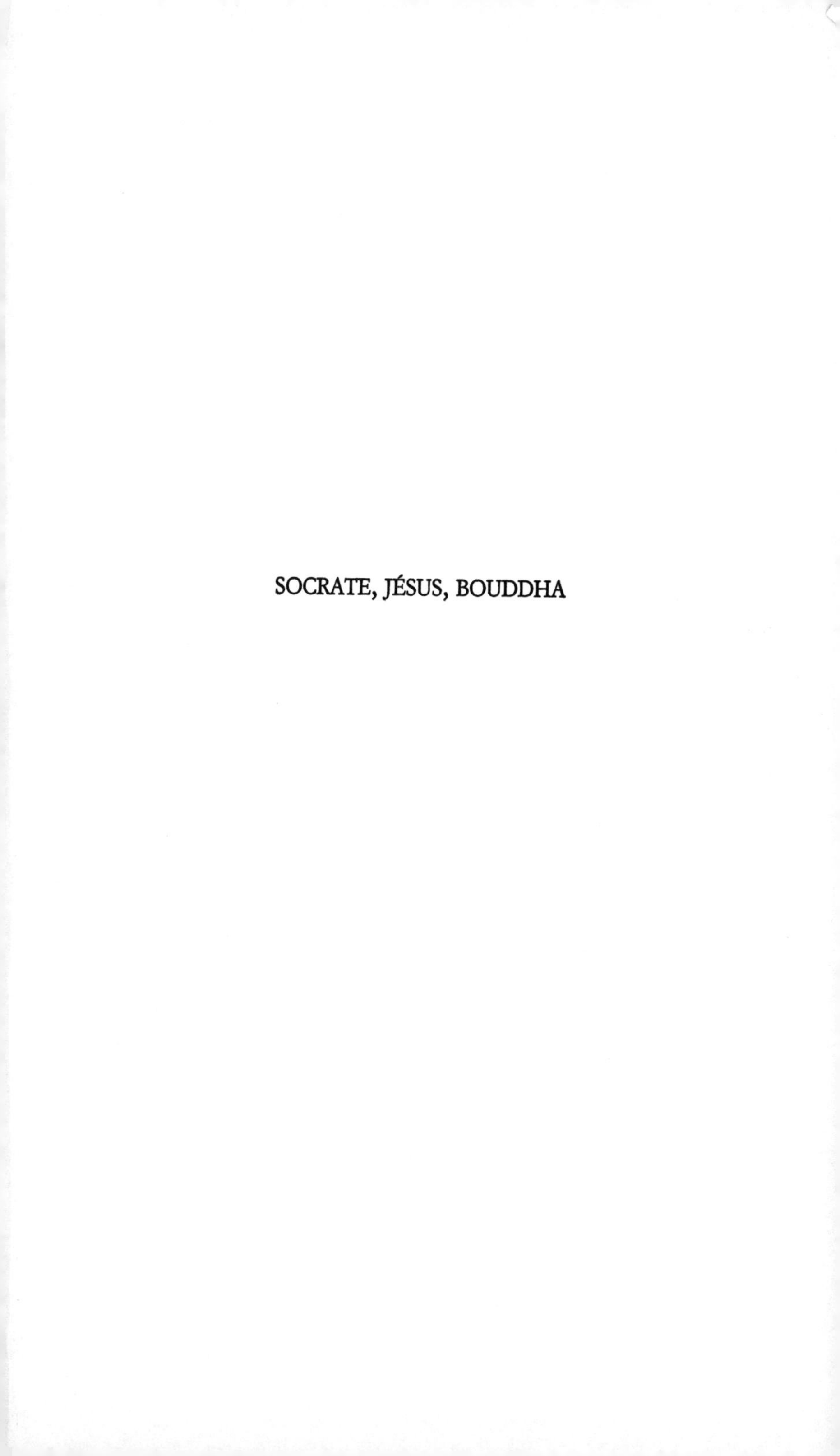

SOCRATE, JÉSUS, BOUDDHA

DU MÊME AUTEUR

à la fin de l'ouvrage, p. 303

Frédéric Lenoir

Socrate, Jésus, Bouddha

Trois maîtres de vie

Fayard

ISBN : 978-2-213-63672-6

L'important n'est pas de vivre,
mais de vivre selon le bien.

SOCRATE

Il y a plus de joie à donner
qu'à recevoir.

JÉSUS

Que tous les êtres soient heureux.
Déjà en vie ou encore à naître,
qu'ils soient tous
parfaitement heureux.

LE BOUDDHA

AVANT-PROPOS

Être ou avoir ?

La question est aussi vieille que l'histoire de la pensée. Et pourtant elle se pose aujourd'hui avec une acuité toute particulière. Nous sommes en effet plongés dans une crise économique d'une ampleur rare, qui devrait remettre en cause notre modèle de développement fondé sur une croissance permanente de la production et de la consommation. N'étant pas économiste, je ne saurais me prononcer sur les tenants et les aboutissants de la situation actuelle. Mais, d'un point de vue philosophique, je pressens qu'elle peut avoir un effet positif, et ce malgré des conséquences sociales dramatiques que beaucoup subissent et que nous observons tous.

Le mot « crise », en grec, signifie, « décision », « jugement », et renvoie à l'idée d'un moment charnière où « ça doit se décider ». Nous traversons une période cruciale où des choix fondamentaux doivent être faits, sans quoi le mal ne fera qu'empirer, cycliquement peut-être, mais sûrement. Ces choix doivent être politiques, à commencer par un nécessaire assainissement et un encadrement plus efficace et plus juste du système financier aberrant dans lequel nous vivons aujourd'hui. Ils peuvent aussi concerner plus directement l'ensemble des citoyens par une réorientation de la demande vers l'achat de biens plus écologiques et plus solidaires. La sortie durable de la crise dépendra certainement d'une vraie détermination à changer les règles du jeu financier et nos habitudes de consommation. Mais ce ne sera sans doute pas suffisant. Ce sont nos modes de vie, fondés sur une croissance constante de la consommation, qu'il faudra modifier.

Depuis la révolution industrielle, et bien davantage encore depuis les années 60, nous vivons en effet dans une civilisation qui fait de la consommation le moteur du progrès. Moteur non seulement économique, mais aussi idéologique : le progrès, c'est posséder plus. Omniprésente dans nos vies, la publicité ne fait que décliner cette croyance sous toutes ses formes. Peut-on être heureux sans avoir la voiture dernier cri ? Le dernier modèle de lecteur DVD ou de téléphone portable ? Une télévision et un ordinateur dans chaque pièce ? Cette idéologie n'est pour ainsi dire presque jamais remise en cause : tant que c'est possible, pourquoi pas ? Et la plupart des individus à travers la planète lorgnent aujourd'hui vers ce modèle occidental qui fait de la possession, de l'accumulation et du changement permanent des biens matériels le sens ultime de l'existence. Lorsque ce modèle se grippe, que le système déraille ; lorsqu'il apparaît qu'on ne pourra pas continuer à consommer indéfiniment à ce rythme effréné, que les ressources de la planète sont limitées et qu'il devient urgent de partager ; quand il apparaît que cette logique est non seulement réversible mais qu'elle produit des effets négatifs à court et à long terme, on peut enfin se poser les bonnes questions. On peut s'interroger sur le sens de l'économie, sur la valeur de l'argent, sur les conditions réelles de l'équilibre d'une société et du bonheur individuel.

En cela, je crois que la crise peut et se doit d'avoir un impact positif. Elle peut nous aider à refonder notre civilisation, devenue pour la première fois planétaire, sur d'autres critères que l'argent et la consommation. Cette crise n'est pas simplement économique et financière, mais aussi philosophique et spirituelle. Elle renvoie à des interrogations universelles : qu'est-ce qui rend l'être humain heureux ? Qu'est-ce qui peut être considéré comme un progrès véritable ? Quelles sont les conditions d'une vie sociale harmonieuse ?

Les traditions religieuses ont tenté d'apporter des réponses à ces questions fondamentales. Mais parce qu'elles se sont enfermées dans des postures théologiques et morales trop rigides, parce qu'elles n'ont pas toujours été non plus des modèles de vertu et de respect de l'être humain, les religions, en particulier les monothéismes, ne parlent plus à nombre de nos contemporains. Force est de constater qu'aujourd'hui encore de nombreux conflits et bien des violences exercées sur les personnes sont le fait, direct ou indirect, des religions. L'inquisition médiévale ou le gouvernement islamiste de l'Iran actuel donnent l'exemple de l'impossible réconciliation entre humanisme et théocratie. Et, par-delà le modèle théocratique, partout dans le monde, les institutions religieuses peinent à répondre à la demande de sens des individus, leur offrant davantage du dogme et de la norme.

La question du bonheur véritable, de la vie juste, du sens de l'existence, s'est posée pour moi assez tôt. J'étais adolescent. La lecture des dialogues de Platon fut une véritable révélation. Socrate y parlait de la connaissance de soi, de la recherche du vrai, du beau, du bien, de l'immortalité de l'âme. Il abordait sans détours des questions qui me taraudaient. Et il le faisait d'une manière qui me paraissait convaincante, à l'inverse des réponses toutes faites et insatisfaisantes du catéchisme de mon enfance. Et puis, quelques années plus tard, je devais avoir seize ans, ce fut la découverte de l'Inde et particulièrement du Bouddha. Divers ouvrages initiatiques et romanesques – *Siddharta* de Hermann Hesse ou *Le Troisième Œil* de Lobsang Rampa – me conduisirent à un remarquable petit ouvrage : *L'Enseignement du Bouddha d'après les textes les plus anciens*, de Walpola Rahula. Nouveau déclic : le message du Bouddha me parlait autant que celui de Socrate par sa justesse, sa profonde cohérence, sa rationalité, son exigence pleine de douceur. J'aurais pu en rester là, tant ces deux maîtres nourrissaient mon esprit. Pourtant, j'allais bientôt faire une troisième rencontre décisive : à dix-neuf ans j'ouvris les Évangiles pour la première fois. Je tombai par hasard sur l'Évangile de Jean, et ce fut un choc profond. Non seulement les paroles de Jésus s'adressaient à mon intelligence, mais elles touchaient aussi mon cœur. Je mesurai alors le décalage parfois abyssal entre ses paroles d'une incroyable audace qui libèrent l'individu en le responsabilisant et le discours moralisateur de tant de chrétiens qui enferment l'individu en le culpabilisant.

Depuis plus de vingt-cinq ans, le Bouddha, Socrate et Jésus sont mes maîtres de vie. J'ai appris à les fréquenter, à me frotter à leur pensée, à méditer leurs actes, leurs différences et leurs convergences. Ces dernières m'apparaissent finalement plus importantes. Car, malgré la distance géographique, temporelle et culturelle qui les sépare, leurs vies et leurs enseignements se recoupent sur des points essentiels. Ce témoignage et ce message, qui m'aident à vivre depuis tant d'années, j'ai eu envie de les faire partager. Je suis convaincu qu'ils répondent aux questions et aux besoins les plus profonds de la crise planétaire que nous traversons.

Car la vraie question qui se pose à nous est la suivante : l'être humain peut-il être heureux et vivre en harmonie avec autrui dans une civilisation entièrement construite autour d'un idéal de l'« avoir » ? Non, répondent avec force le Bouddha, Socrate et Jésus. L'argent et l'acquisition de biens matériels ne sont que des moyens, certes précieux, mais jamais une fin en soi. Le désir de possession est, par nature, insatiable. Et il engendre frustration et violence. L'être humain est ainsi fait qu'il désire sans cesse posséder ce qu'il n'a pas, quitte à le prendre par la force chez son voisin. Or, une fois ses besoins matériels essentiels assurés – se nourrir, avoir un toit et de quoi vivre décemment –, l'homme a besoin d'entrer dans une autre logique que celle de l'« avoir » pour être satisfait et devenir pleinement humain : celle de l'« être ». Il doit apprendre à se connaître et à se maîtriser, à appréhender le monde qui l'entoure et à le respecter. Il doit découvrir comment aimer, comment vivre avec les autres, gérer ses frustrations, acquérir la sérénité, surmonter les souffrances inévitables de la vie, mais aussi se préparer à mourir les yeux ouverts. Car si l'existence est un fait, vivre est un art. Un art qui s'apprend, en interrogeant les sages et en travaillant sur soi.

Socrate, Jésus et Bouddha nous apprennent à vivre. Le témoignage de leur vie et l'enseignement qu'ils proposent est, me semble-t-il, universel et d'une étonnante modernité. Leur message est centré sur l'être individuel et sa croissance, sans jamais nier sa nécessaire inscription dans le corps social. Il propose un savant dosage de liberté et d'amour, de connaissance de soi et de respect d'autrui. Même s'il s'enracine diversement dans un fonds de croyances religieuses, il n'est jamais froidement dogmatique : il donne toujours du sens et fait appel à la raison. Il parle aussi au cœur.

Cet ouvrage est divisé en deux parties. La première propose une biographie croisée de ces trois maîtres de vie. Je l'ai écrite de manière didactique, en historien plus qu'en disciple, avec distance et en faisant état des connaissances les plus fiables. Il me semble en effet capital de ne pas transmettre des vies légendaires, idéalisées, mais des existences bien réelles – autant que faire se peut au regard des sources dont nous disposons – et nous verrons que ce n'est pas si simple ! Dans une deuxième partie, je propose cinq grands chapitres thématiques, qui résument les points clefs de leur enseignement : la croyance en l'immortalité de l'âme, la recherche de la vérité, de la liberté, de la justice et de l'amour. Bien d'autres éléments de leurs enseignements respectifs auraient pu être transmis. J'ai fait un choix, il est donc arbitraire, mais toujours respectueux de la cohérence de leur pensée, ce qui m'amène évidemment souvent à préciser des divergences de conception sur un même thème. Car un syncrétisme facile n'est pas plus éclairant que le refus d'associer, par scrupule religieux ou universitaire, trois pensées qui se font écho les unes les autres sur des points essentiels, à commencer par leur constant souci de parler à tout être humain, doué de cœur et de raison, qui s'interroge sur l'énigme et le sens de l'existence.

Parmi les points communs de leur vie, l'un d'entre eux est assez singulier et mérite d'emblée d'être souligné : le Bouddha, Socrate et Jésus n'ont laissé aucune trace écrite. Pourtant, tous trois savaient très probablement lire et écrire, ainsi qu'il fut d'usage pour les jeunes gens de leur époque et de leur milieu – même si, dans l'Inde du Bouddha, au Ve siècle avant notre ère, l'usage de l'écriture était très réduit, se limitant aux échanges commerciaux et administratifs. Leur désir de se limiter à un enseignement oral n'est sans doute pas anodin. L'enseignement qu'ils transmettent est une sagesse de vie. Celle-ci se transmet de manière vivante, par la force de l'exemple, la justesse du geste, la parole vive, l'intonation de la voix. Elle se transmet avant tout à un cercle étroit de disciples, même si Jésus aimait aussi parler aux foules. À des hommes et des femmes qui ont parfois tout quitté pour mettre leurs pas dans les traces de ceux qu'ils considèrent comme des maîtres de sagesse, et qui auront à cœur de transmettre leur vie et leur parole. Certains de ces disciples ont écrit, d'autres ont continué de transmettre un enseignement oral avant que de plus lointains disciples ne consignent leur témoignage.

C'est à partir de ces textes les plus anciens que j'ai tenté de retranscrire ici la vie et la pensée de nos trois sages. J'ai cherché à citer autant que possible ces textes qui permettent d'entendre la voix lointaine de Socrate, de Jésus et du Bouddha. Le lecteur qui n'a pas encore eu le loisir de lire les sutras bouddhistes, les dialogues de Platon ou les Évangiles pourra ainsi se confronter aux textes eux-mêmes et, par là, aux paroles qui leur sont attribuées et qui résonnent encore si fort à nos oreilles, pour peu que l'on sache les écouter.

Le Bouddha, Socrate et Jésus sont les fondateurs de ce que j'appellerais un « humanisme spirituel ». Le philosophe Karl Jaspers leur a consacré le premier tome de son histoire de la philosophie (en y ajoutant Confucius) et les considère comme « ceux qui ont donné la mesure de l'humain[1] ». Quoi de plus nécessaire et actuel face à l'urgente refondation d'une civilisation devenue planétaire ? Une planète par trop tiraillée entre une vision purement mercantile et matérialiste d'un côté, un fanatisme et un dogmatisme religieux de l'autre. Deux tendances contraires en apparence et que pourtant tout rassemble pour conduire le monde au chaos en maintenant l'être humain dans la logique de l'« avoir », de l'obéissance infantilisante et de la domination. Je suis convaincu que seule la recherche

1. Karl Jaspers, *Les Grands Philosophes*. Tome 1 (1956), Pocket, 1989, p. 47.

de l'« être » et de la responsabilité – individuelle et collective – peut nous sauver de nous-mêmes. C'est ce que nous enseignent, depuis plus de deux millénaires, chacun à sa manière, Socrate, le philosophe athénien, Jésus, le prophète juif palestinien et Siddhârta, dit « le Bouddha », le sage indien.

Première partie

Qui sont-ils ?

1

Comment les connaît-on ?

Ont-ils réellement existé ?

Le Bouddha, Socrate et Jésus ont-ils réellement existé ? La question peut paraître étrange, voire choquante, tant est considérable leur héritage. Pourtant, cette question est tout aussi légitime que pertinente. Nul ne conteste la trace profonde que ces trois personnages ont laissée dans la conscience collective d'une grande partie de l'humanité. Mais peut-on être absolument certain de leur existence historique ? Je ne parle pas ici de la véracité des actes ou des propos qui leur sont attribués : c'est une question que nous examinerons plus loin. Non, se pose d'abord une autre question, plus radicale : avons-nous des preuves indiscutables qu'ils aient bien existé en chair et en os ? La réponse est aussi abrupte que la question : non.

En réalité, il n'existe aucune preuve définitive de leur existence historique. Celui que l'on appelle « le Bouddha », titre qui signifie « l'Éveillé », aurait vécu dans le nord de l'Inde il y a deux mille cinq cents ans. Le Grec Socrate aurait vécu à Athènes il y a environ deux mille trois cents ans. Jésus serait né en Palestine il y a un peu plus de deux mille ans. Leurs tombes ni leurs ossements n'ont été conservés. Il n'existe nulle monnaie, nulle trace archéologique qui leur soient contemporaines et qui puissent attester de leur existence ou valider les événements de leur vie, comme ce fut le cas pour les grands monarques tels Alexandre le Grand ou Jules César. Ils n'ont eux-mêmes rien écrit, et les textes qui racontent leur vie sont principalement l'œuvre de disciples et ont été rédigés quelques années après sa mort pour Socrate, quelques décennies pour Jésus, plusieurs siècles pour le Bouddha. En l'absence de traces archéologiques et de témoignages historiques variés et concordants, les historiens ne peuvent donc affirmer avec une certitude absolue l'existence de ces trois personnages. Pourtant, tous s'accordent à reconnaître comme « hautement probable » l'existence historique de Socrate, de Jésus et du Bouddha. Et cela, encore une fois, malgré l'absence de preuves tangibles de cette existence, de décrets signés de leur nom propre, de traces palpables qu'ils auraient directement léguées à la postérité. Pourquoi ?

L'hypothèse de leur non-existence historique pose en effet davantage de problèmes que celle de la réalité de leur existence. C'est donc surtout en raisonnant par l'absurde que les historiens sont arrivés à la conviction que ces trois personnages ont bel et bien existé. S'ils étaient des mythes, comment expliquer que ceux qui ont transmis leur message aient été si imprégnés par leur personnalité, parfois au point de sacrifier leur vie, comme ce fut le cas de la plupart des apôtres de Jésus ? On donne moins aisément sa vie pour un mythe que pour un personnage bien réel avec qui on a entretenu des liens affectifs à toute épreuve. Les Évangiles, qui racontent la vie de Jésus, manifestent l'amour et l'admiration puissante de ses disciples à son égard. On ressent aussi dans les écrits de Platon, le principal disciple de Socrate, tout l'amour qu'il portait à son maître. Ses écrits ne sont en rien désincarnés, mais témoignent d'une émotion très humaine, d'une sympathie presque palpable. Écrites plusieurs siècles après la mort du maître, les vies du Bouddha n'ont guère cette saveur et ce parfum d'authenticité du témoignage direct. Mais la même question se pose à l'historien : comment expliquer que des générations d'hommes et de femmes aient entièrement consacré leur vie à suivre les pas d'un homme qui n'aurait pas existé ? Il y a indiscutablement eu un événement majeur qui a bouleversé Pierre, Platon, Ananda et tant d'autres à leur suite. Ces proches ou lointains disciples nomment cet événement « Jésus », « Socrate » et « Bouddha ». Qu'ils aient fidèlement retransmis la vie et les paroles de leurs maîtres est un autre problème, sur lequel je reviendrai. Mais nul doute que leur vie a été marquée par quelque chose de tangible, par une voix, par un discours, par des gestes qui émanaient de « quelqu'un ». C'est la mémoire orale tout d'abord, puis l'écrit, qui nous ont légué le nom de ce « quelqu'un ».

Qu'il n'existe pas de traces archéologiques directes de l'existence de ces trois personnages s'explique par le fait qu'aucun ne détenait de pouvoir politique. Dans cette lointaine Antiquité, seuls les monarques et les gouvernants pouvaient laisser une trace à la postérité en faisant graver des monnaies à leur effigie, ou des décrets dans la pierre, et en édifiant d'imposants monuments funéraires. L'histoire immédiate était celle des puissants de ce monde. Or ni le Bouddha, ni Socrate, ni Jésus n'étaient des puissants, loin de là. Ils ont vécu simplement, ont connu de leur vivant un rayonnement relativement limité, et n'ont laissé aucune œuvre écrite de leur main. Les autorités publiques de l'époque n'avaient guère de raison de transcrire dans les annales officielles le nom et la vie de cet ascète qui prêchait l'extinction du désir, de ce philosophe provocateur et de ce jeune juif qui annonçait l'avènement du royaume de Dieu. Tous trois enseignaient le renoncement aux illusions de ce monde, et leur rôle dans la cité était secondaire. Compte tenu de leurs faibles moyens financiers et de leur influence politique dérisoire, leurs disciples, quoique convaincus de la grandeur morale et spirituelle de leur maître, n'étaient guère en mesure de leur édifier des monuments. La seule manière de transmettre leur mémoire fut la transmission orale, puis écrite. Ces témoignages, qui n'ont cessé de s'étendre à des cercles de plus en plus larges, ont fait, au fil des siècles, l'incroyable renommée de Socrate, de Jésus et du Bouddha. On pourrait dire que leur succès, comme aujourd'hui celui d'un film de cinéma, ne s'est pas fait par un gros lancement médiatique, mais par la force, lente et efficace, du bouche-à-oreille. C'est parce que leur vie et leurs paroles ont fortement impressionné ceux qui les ont côtoyés qu'elles n'ont cessé d'être transmises avec ferveur pour parvenir jusqu'à nous. C'est finalement le meilleur indice de la réalité de leur existence.

Par quelles sources et par quels témoignages leur vie et leur message sont passés à la postérité, voilà ce qu'il convient maintenant de considérer.

Les sources

L'essentiel de ce que nous savons d'eux a été rapporté par des témoins de leur vie. Essentiellement par des disciples qui, en dépit du caractère élogieux du portrait qu'ils dressent, semblent avoir eu l'intention de transmettre un témoignage fidèle, montrant parfois leur maître avec ses qualités et ses défauts, ses humeurs aussi, son caractère quelquefois inégal. L'essentiel des travaux de recherche et d'exégèse ultérieurs ont été réalisés à partir des matériaux transmis par ces disciples, témoins directs ou indirects de leur parcours. Néanmoins, quelques indices extérieurs à ces cercles de fidèles sont là, aussi ténus soient-ils, pour confirmer l'historicité des personnages et leur inscription dans l'histoire.

Au cours des cinquante dernières années, les travaux des historiens et exégètes ont connu des progrès considérables. Les vies du Bouddha, de Socrate et de Jésus, ou plus exactement des pans de leur vie, ont pu être reconstitués avec un œil critique, par-delà les aspects légendaires ou les éléments de foi qui les parasitaient au regard des critères scientifiques d'authenticité. Cette remarque concerne essentiellement le Bouddha et Jésus, fondateurs de courants spirituels devenus religions.

Se pose aussi la question de la fiabilité des témoignages sur lesquels nous travaillons aujourd'hui. Les disciples grâce auxquels nous connaissons ces maîtres ont-ils été de fidèles traducteurs de la pensée qu'ils nous ont transmise ? De cela nous ne serons évidemment jamais tout à fait certains, même si des concordances en confirment la cohérence.

Parce qu'il a vécu en un temps lointain et dans une société où l'écriture était peu répandue, c'est du Bouddha que nous disposons le moins de traces historiques proches et fiables. Selon toute vraisemblance, le Bouddha est né et a vécu en Inde au VIe siècle avant notre ère. Les premières traces écrites, se référant non pas tant à lui qu'à son enseignement, datent d'à peu près deux siècles et demi après sa mort. Il ne s'agit pas de textes, mais de stèles royales : les stèles du roi Ashoka, qui a régné sur une grande partie du sous-continent indien englobant l'actuel Afghanistan jusqu'au Bengale, entre environ 269 et 232 avant notre ère. D'abord souverain tyrannique, Ashoka s'est converti à la loi bouddhiste (dharma) alors qu'il avait à peine une vingtaine d'années. Dès lors, il a fait graver sur des stèles, des parois de caverne, des colonnes et des blocs de granit des sentences proclamant son aversion pour la violence et son adhésion aux enseignements du dharma. Ces sentences sont souvent accompagnées d'un dessin : une roue qui symbolise la roue du dharma, la loi mise en mouvement par le Bouddha. Dans ces édits, gravés et proclamés dans l'ensemble de son royaume, il appelle à l'adoption de règles morales inspirées des préceptes du Bouddha : « Le don [du dharma] consiste à traiter équitablement esclaves et serviteurs, à obéir à sa mère et à son père, à être généreux pour les amis, les parents, les prêtres, les ascètes, et à ne pas tuer d'animaux[1]. » Dans l'un de ses édits, le souverain exprime très clairement son intention de transmettre à la postérité la loi bouddhiste : « Dans le passé, il n'y avait pas de porteurs de la parole du dharma, mais j'ai appointé des prêtres treize ans après mon couronnement. Maintenant, ils œuvrent au sein de toutes les religions pour l'établissement du dharma, pour la promotion du dharma, et pour le bien-être et le bonheur de tous ceux qui se dédient au dharma. Ils œuvrent parmi les Grecs, les Gandharas, les Rastrikas, les Pitinikas et d'autres peuples sur les frontières ouest. Ils œuvrent parmi les soldats, les chefs, les brahmanes, les pauvres, les vieux et ceux qui se dédient au dharma, pour leur bien-être et leur bonheur [...]. Cet édit du dharma a été écrit sur la pierre, pour qu'il dure longtemps et que mes descendants travaillent conformément à ce qu'il édicte[2]. » Comme plus tard l'empereur romain Constantin pour le christianisme, Ashoka fut une pièce maîtresse dans l'essor du bouddhisme dans toute l'Asie.

Hormis les édits gravés de l'empereur, les premiers écrits bouddhistes à nous être parvenus datent seulement du Ier siècle avant notre ère. Rédigés en pali, la langue parlée dans le nord de l'Inde, assez proche du magadhi qui était en usage à l'époque du Bouddha, ils servent de référence quasi exclusive à l'école boud-

1. Édit n° 10 du roi Ashoka.
2. Édit n° 5 du roi Ashoka.

dhiste Theravada, dite aussi des Anciens, les autres écoles, comme celle du Mahayana, y adjoignant d'autres enseignements. Ces textes, écrits environ quatre siècles après la mort du Bouddha, sont très probablement le fruit d'une longue transmission orale. Habitués à consulter des sources écrites – et désormais audiovisuelles et numériques –, nous avons oublié l'importance de la mémoire et de la transmission orale dans les sociétés traditionnelles. D'immenses récits pouvaient êtres appris et transmis fidèlement de génération en génération. De nos jours, en Inde par exemple, des récits-fleuves de milliers de vers continuent de se transmettre oralement avec une grande fidélité, bien qu'ils aient aussi été mis par écrit depuis longtemps. La vie et les enseignements du Bouddha ont donc été transmis oralement pendant plusieurs siècles, en un temps où la mémorisation était aussi usuelle que la mise par écrit aujourd'hui, soutenue par des procédés mnémotechniques comme la versification, la répétition, la mise en formules, le chant.

La tradition affirme que l'origine de cette transmission remonte aux disciples du Bouddha lui-même, les premiers moines qui l'ont connu et côtoyé, et qui, dès sa mort, vers 483 avant notre ère, ont souhaité préserver sa mémoire et son enseignement. Un demi-siècle après la mort du Bouddha, ces moines, qui mènent le plus souvent une vie itinérante, sillonnant villes et villages pour raconter ce qu'ils ont appris, tiennent leur premier concile. Il est possible que certains d'entre eux aient connu le Bouddha de son vivant. Ensemble, ils tentent d'établir un canon oral, c'est-à-dire de s'entendre sur ce qu'il faut transmettre, et sur la manière de le transmettre. Un certain nombre de règles et de formules établies à ce moment charnière se retrouveront dans les écrits ultérieurs. Un deuxième concile se tient cinquante ans après le premier. C'est là que le bouddhisme se subdivise en écoles, épisode sur lequel je reviendrai.

La tradition bouddhiste affirme que ce que l'on appelle « les Trois Corbeilles » ou *Tipitaka*, le triptyque formant le canon pali de l'école des Anciens, a été forgé entre les deux conciles. Le *Tipitaka* est considéré par la tradition comme une retranscription des enseignements originels du Bouddha. Il est formé de trois parties. La première, le *Vinaya pitaka*, édicte les règles monastiques et explicite, par des références à la vie du Bouddha, les circonstances dans lesquelles elles ont été établies. La deuxième partie, le *Sutta pitaka*, englobe près de dix mille sermons et discours du Bouddha et de ses proches disciples, répartis en cinq recueils. Même s'ils sont essentiellement axés sur la doctrine et les croyances bouddhistes, ces discours comportent des éléments biographiques et permettent, par recoupements, de suivre les quarante-cinq ans de prédication du Bouddha, jusqu'à sa disparition. Enfin, une troisième partie, appelée *Abhidhamma pitaka*, subdivisée en sept chapitres, est consacrée aux enseignements philosophiques, et contient en particulier une analyse approfondie des principes qui gouvernent les processus physiques et mentaux. La tradition veut que l'*Abhidhamma* ait été transmis par le Bouddha au cours des quatre semaines qui ont suivi son Éveil ; il n'a toutefois été intégré au canon que dans une phase ultérieure, lors d'un troisième concile de l'école

Theravada, ce qui rend assez suspecte cette filiation directe.

Que faut-il retenir de cet ensemble de textes ? Son objectivité – il prétend rapporter littéralement les paroles du Bouddha – est évidemment aléatoire. D'une part, parce que en dépit des capacités mnémotechniques surdéveloppées des moines il est tout à fait naturel qu'au fil des générations des altérations, des omissions, des ajouts, des enjolivements, des précisions, aient été apportés au discours d'origine. Par ailleurs, les moines ont probablement imprimé sur ces enseignements en pali la marque de leur école, le Theravada, à un moment où les divisions apparaissaient au sein du bouddhisme. Une fois ces réserves émises, il faut néanmoins reconnaître un substrat historique aux textes pali. Les descriptions indirectes qu'ils font de l'Inde religieuse des VIe et Ve siècles avant notre ère sont corroborées par d'autres sources non bouddhistes, notamment par les textes du jaïnisme, religion légèrement antérieure au bouddhisme. Mais, surtout, les précisions qu'ils fournissent au sujet du védisme, la religion dominante de l'époque, constituent à elles seules une preuve que ces textes n'ont pas été inventés de toutes pièces au tournant de notre ère, ni même dans les deux ou trois siècles qui l'ont précédée : le védisme avait en effet alors cédé le pas à ce que l'on appelle aujourd'hui l'hindouisme. Par ailleurs, les détails historiques que recèlent les textes pali – qui citent des noms de rois ayant effectivement existé à cette époque, comme Bimbisara, souverain du Magadha, qui décrivent aussi l'émergence de la vie citadine en des lieux précis, des strates sociales, des conventions usitées –, tous ces détails sont corroborés par les archéologues et les historiens. Cette abondance de précisions historiques avérées confirme l'existence d'un substrat réel aux pérégrinations, gestes et paroles du Bouddha tels qu'ils sont rapportés par la tradition.

C'est essentiellement à partir de ces matériaux qu'ont été élaborées les « vies du Bouddha », genre littéraire à part entière qui a fleuri à partir des IIe ou IIIe siècles de notre ère, mais qui n'est intégré au canon d'aucune école du bouddhisme comme le sont les Évangiles dans le christianisme. La raison de cette absence, que l'on ne retrouve dans aucune autre tradition religieuse, est la mise en garde réitérée du Bouddha contre le culte de la personnalité. Les anecdotes concernant sa vie, rapportées dans le Canon bouddhiste, figurent à titre d'exemples, mais sont chronologiquement citées dans le désordre, les premiers biographes ayant par la suite reconstitué la vie du Bouddha à partir de ces sources dispersées. Se sont-ils aussi fondés sur un récit établi lors du deuxième concile et dont on aurait perdu la trace, comme l'affirme la tradition ? De cela nous n'avons aucune preuve. Consacrées dans un premier temps au parcours du Bouddha jusqu'à son Éveil et son premier sermon, les « vies du Bouddha » ont, au fil des siècles, évoqué les quarante-cinq années de sa vie de prédicateur. Elles ont aussi, de toute évidence, systématiquement intégré une part de merveilleux, mêlant les miracles et les prouesses surhumaines au récit du parcours d'un homme qui, un jour, décida de tout abandonner pour partir en quête de la vérité.

La source la plus ancienne concernant Socrate est d'autant plus fiable qu'elle lui est contemporaine… et hostile ! Nous sommes à Athènes, en Grèce, au Ve siècle avant notre ère. Socrate est encore en vie, il approche de la cinquantaine, quand paraît la première œuvre à faire explicitement référence à lui. Elle est loin d'être laudative ! En effet, dans *Les Nuées*, une comédie écrite vers 425 avant notre ère, le poète comique Aristophane pourfend avec mordant le philosophe en qui il voit la personnification de tous les sophistes, ces maîtres de la rhétorique qui parcouraient la Grèce, enseignant l'art de discourir en public et de défendre avec subtilité toutes les thèses, même les plus contradictoires. Dans sa pièce, Aristophane accuse Socrate de « charlatanisme », le qualifie de « va-nu-pieds », caricature ses enseignements, dénonce leur vacuité. Il lui fait dire à Strepsiades qui frappe à sa porte pour se joindre à ses disciples : « Dis-moi ton caractère afin que, sachant qui tu es, je dirige, d'après un plan nouveau, mes machines de ton côté […]. Je veux t'adresser quelques questions. » Cette dernière remarque montre que le père de la philosophie morale a déjà forgé la méthode qui lui est propre, fondée sur le questionnement de son interlocuteur, que l'on appellera la « maïeutique », ou l'art d'accoucher. La comédie d'Aristophane nous laisse toutefois entrevoir peu de chose de sa pensée et de sa vie. Elle atteste cependant de l'existence du maître et montre que celui-ci jouissait déjà alors d'une certaine notoriété à Athènes, puisqu'il est choisi comme figure emblématique pour incarner les sophistes qu'Aristophane abhorre.

Mais l'essentiel de ce que nous savons de Socrate provient de ceux qui furent ses disciples, au premier rang desquels figure Platon. On ignore à quand exactement remonte la rencontre entre les deux hommes, mais Platon était dans sa jeunesse (environ une vingtaine d'années), tandis que Socrate, lui, avait plus de soixante ans. La fascination de Platon pour son maître, auprès de qui il restera au moins huit années, fut telle qu'il lui consacrera l'essentiel de ses écrits, au point qu'il est aujourd'hui assez difficile de faire le partage entre la pensée proprement platonicienne et les enseignements socratiques. De manière générale, on considère que le « vrai » Socrate est celui qui s'exprime dans les dialogues suivants : *Ion, Protagoras, Gorgias, Charmide, Ménon, Phédon, Criton*... C'est dans ces textes que Platon fait évoluer et parler son maître, et que, par la vivacité de son style, il parvient à le faire revivre sous nos yeux. C'est là que nous voyons Socrate, dans toute sa splendeur, enchaîner ses questions, déterminé à faire surgir, par l'art du dialogue, la vérité. Même s'il est probablement quelque peu idéalisé, c'est aussi Socrate qui parle dans *Théétète*, *Parménide* ou *Le Banquet*. Mais est-ce encore lui qui défend les Idées dans *La République* ? Cela semble peu probable. On sait qu'après la mort de son maître Platon s'est enfui un temps à Mégare, avant de revenir à Athènes fonder son Académie. Dès lors, dans ses écrits, il fait de Socrate le porte-parole de la pensée et de la doctrine de sa propre école. « Ce faisant, Platon ne reproduit pas le discours philosophique de Socrate, il le produit[1] », estime l'un des plus grands spécialistes de la pensée socratique, Gregory Vlastos. Platon n'a sans doute pas reproduit de manière totalement fidèle les propos de Socrate : en certaines occurrences, il les aurait « améliorés » ou complétés, sans pour autant trahir le fond de la pensée de son maître.

La deuxième source abondante dont nous disposons réside dans les œuvres d'un autre disciple, plus éloigné celui-ci : Xénophon. À la fois philosophe, historien et guerrier, ce dernier n'a pas fréquenté Socrate pendant les deux dernières années de sa vie : il était alors en expédition avec Cyrus le Jeune. Il semble d'ailleurs n'avoir jamais fait partie de son cercle rapproché. Néanmoins, quand, vers 390 avant notre ère, soit environ neuf ans après la mort du philosophe, le sophiste Polycrate de Samos écrit une cruelle *Accusation de Socrate*, reprenant le procès qui lui a été fait à Athènes et qui a abouti à sa condamnation à mort, Xénophon répond par les *Mémorables*. Cette œuvre se présente à la fois comme un traité philosophique et comme un récit historique de la vie de Socrate. Xénophon y prend le contre-pied de l'*Accusation* et présente Socrate en honnête homme, respectueux des rites et des dieux, tout comme dans son *Apologie de Socrate* (à ne pas confondre avec l'*Apologie* signée de Platon), consacrée à la mort du maître. Si elle n'a pas l'éclat et la profondeur des livres de Platon, l'œuvre de Xénophon reste un outil important pour la connaissance de Socrate. Elle permet,

1. Gregory Vlastos, *Socrate, ironie et philosophie morale*, Aubier, 1991, p. 76.

par recoupements, de confirmer un certain nombre d'informations livrées par Platon.

À ces œuvres s'ajoutent quelques fragments d'Eschine de Sphettos, qui fut un proche de Socrate et dont on dit que ses dialogues, aujourd'hui disparus, ont été les plus fidèles aux enseignements du maître ; des bribes d'Antisthène, autre disciple qui a fondé la tradition cynique ; quelques données indirectes d'Aristote, qui n'a pas connu Socrate, mais qui fut pendant vingt ans l'élève de Platon au sein de son Académie athénienne, avant de fonder sa propre école, le Lycée. Citons aussi les références à Socrate qui parsèment les œuvres des philosophes des siècles ultérieurs, tels Cicéron, qui, au Ier siècle avant notre ère, aura exprimé avec verve l'hostilité que les épicuriens nourrissaient à son égard, ou encore le platonicien Maxime de Tyr, qui, au IIe siècle de notre ère, aura ouvert la voie à la pensée des néoplatoniciens. Au total, nous disposons donc d'un matériel conséquent pour décrypter la vie et la pensée du principal initiateur de la philosophie occidentale. Dans quelles proportions ont-elles été transformées et idéalisées par ces premiers témoins ? À cette question, il semble que l'on ne pourra jamais apporter de réponse définitive.

Jésus est le personnage dont l'existence, la vie et les paroles ont suscité le plus de débats en Occident après l'émergence des Lumières, et, avec elles, du scepticisme qui s'est répandu dans des sociétés soumises pendant des siècles aux « vérités indiscutables » transmises par l'Église. En effet, pendant dix-huit siècles, le seul Jésus que connaissaient les croyants était la figure soigneusement élaborée par l'institution : un personnage non seulement exemplaire, mais considéré comme « Dieu fait homme ». Enseignées au catéchisme et au culte dominical, sa vie et ses paroles n'étaient guère remises en question. Si l'avènement de l'humanisme et de la Réforme protestante, au XVIe siècle, a ébranlé l'autorité du magistère catholique, il n'a pas mis en cause la véracité du témoignage évangélique. Érasme ou Luther critiquaient le pape, mais ne contestaient pas les textes fondateurs du christianisme. Ce n'est que dans l'Allemagne de la fin du XVIIIe siècle que s'est développée une lecture historique et critique de la Bible. En France, malgré l'opposition de l'Église catholique, ce mouvement, mené par une poignée d'exégètes et de théologiens audacieux, est relayé au début du XIXe siècle par l'école de Strasbourg, dont l'objectif vise à faire émerger la figure d'un Jésus débarrassé de la gangue du dogme. Or une telle entreprise se révèle particulièrement ardue, car les Évangiles sont des textes écrits par des croyants qui s'assument comme tels, non par des observateurs neutres.

Il n'est pas question de raconter ici la naissance et le développement de l'exégèse chrétienne. Il me semble toutefois important de mettre en avant son originalité : aucun grand personnage de l'histoire, et notamment aucun fondateur d'un courant religieux ou spirituel, n'a fait l'objet de telles recherches objectives, menées aussi bien par des athées que par des croyants, lesquels n'hésitèrent pas à mettre les dogmes entre parenthèses au profit de l'analyse argumentée, en ayant pour seul souci la recherche de la vérité historique.

Comme je l'ai expliqué précédemment, aucun spécialiste ne nie l'existence d'un personnage nommé Jésus, un juif né en Galilée quelques années avant le début de notre ère, mort crucifié à Jérusalem vers l'an 30, et dont la vie publique a été remarquablement courte : une à trois années, selon les premiers témoignages. De même que pour Socrate et le Bouddha, l'essentiel des références écrites concernant Jésus provient de ses disciples, mais il existe aussi des indices extérieurs à ce cercle. Le plus important est celui de l'historien juif Flavius Josèphe, qui a consacré quelques lignes au personnage dans son principal ouvrage, *Antiquités juives*, rédigé vers la fin du Ier siècle. Différentes versions de ces lignes ont circulé dans les milieux chrétiens, qui ont pu y apporter des retouches. Je m'en tiendrai à celle que l'exégète américain John Meier a établie après avoir recoupé ces versions et les avoir comparées au style de l'auteur des *Antiquités*[1]. Il estime ainsi « probable » que Flavius Josèphe ait écrit : « Vers le même temps survint Jésus, un homme sage (si toutefois il faut l'appeler un homme). Car il était en effet faiseur de prodiges, le maître de ceux qui reçoivent avec plaisir des vérités. Il se gagna beaucoup de juifs et aussi beaucoup du monde hellénistique. Et Pilate l'ayant condamné à la croix, selon l'indication des premiers d'entre nous, ceux qui l'avaient d'abord chéri ne cessèrent pas de le faire. Et jusqu'à présent la race des chrétiens, dénommée d'après celui-ci, n'a pas disparu[2]. »

1. John Meier, *Un certain juif, Jésus*, Cerf, 2006.
2. Flavius Josèphe, *Antiquités juives,* 18, 63-64.

Josèphe mentionne rapidement Jésus dans un deuxième passage des *Antiquités* consacré à la période transitoire, à Jérusalem, en 62, entre la mort du procurateur Festus et la nomination de son successeur, Albinus, période mise à profit par le grand prêtre Hanne le Jeune, qui « convoqua un sanhédrin de juges et fit comparaître le frère de Jésus, appelé Christ, et quelques autres. Il les accusa d'avoir transgressé la loi et les livra pour être lapidés[1]. »

Pour ce qui est des autres sources non chrétiennes, citons les *Annales* de l'historien romain Tacite (57-120). La partie de ces *Annales* couvrant la période au cours de laquelle Jésus a exercé son ministère public est perdue. Dans une autre partie, décrivant l'incendie de Rome en 64, dont la responsabilité fut attribuée par la rumeur publique à l'empereur Néron, Tacite précise : « Aussi, pour anéantir la rumeur, Néron supposa des coupables et infligea des tourments raffinés à ceux que leurs abominations faisaient détester et que la foule appelait chrestiani (chrétiens). Ce nom leur vient de Christus (Christ), que, sous le principat de Tibère, le procurateur Ponce Pilate avait livré au supplice ; réprimée sur le moment, cette détestable superstition perçait de nouveau non seulement en Judée, où le mal avait pris naissance, mais encore dans Rome, où tout ce qu'il y a d'affreux et de honteux dans le monde afflue et trouve une nombreuse clientèle[2]. » Une mention aux « chrétiens » figure par ailleurs dans une lettre du proconsul Pline le Jeune,

1. Flavius Josèphe, *Antiquités juives*, 20, 200.
2. Tacite, *Annales*, 15, 44.

écrite vers 112 à l'empereur Trajan pour l'informer des crimes perpétrés par ces derniers, au premier chef desquels le refus de rendre un culte à l'empereur et l'organisation de réunions à jour fixe, à l'aube, au cours desquelles ils dédient des chants au « Christ comme à un dieu[1] ». Pline ajoute n'avoir pas retenu les accusations de cannibalisme ni d'inceste portées contre les chrétiens, mais avoir néanmoins exécuté certains d'entre eux. Enfin, parmi les écrits juifs postérieurs à la destruction du Temple de Jérusalem (70 après notre ère), et donc à la rupture avec les judéo-chrétiens, on trouve mention du nom de Jésus dans le *Traité Sanhédrin* du Talmud de Babylone. Le verset 43a fait ainsi référence à un certain Yeshu qui « a pratiqué la sorcellerie et séduit et égaré Israël » avant d'être pendu à la veille de la Pâque.

Mais l'essentiel de ce que nous savons de Jésus et de son message provient de sources chrétiennes rédigées vingt ans au moins après sa mort. Les premiers textes sont les lettres (ou épîtres) de Paul, un lettré juif qui a persécuté les disciples de Jésus avant de se convertir et de devenir un fervent propagateur de la foi chrétienne. Considérant que ses interlocuteurs connaissent déjà l'essentiel de la vie et des paroles de Jésus – ce qui confirme l'existence d'une tradition orale –, Paul entend surtout expliquer la nouveauté de la foi chrétienne par rapport à la loi juive, et ses épîtres fondent véritablement la doctrine chrétienne. Viennent ensuite d'autres lettres d'apôtres, comme Pierre ou Jacques,

1. Pline le Jeune, lettre 96.

qui dirigeaient la première Église de Jérusalem. Mais ce n'est qu'après leur mort, survenue une trentaine d'années après la crucifixion de Jésus, que les chrétiens ressentirent le besoin de mettre par écrit le témoignage oral de ces témoins oculaires. C'est ainsi que sont écrits les quatre Évangiles de Marc, Matthieu, Luc et Jean, qui entendent raconter la vie et rapporter les paroles de Jésus.

Des éléments ponctuels sont également fournis par certains écrits dits « apocryphes », c'est-à-dire non intégrés au canon officiel des Églises chrétiennes. Ces textes apocryphes ont fait couler beaucoup d'encre depuis le succès planétaire du *Da Vinci Code* qui les présente comme des textes plus authentiques que les quatre Évangiles canoniques. L'ensemble des exégètes et des historiens affirment au contraire qu'ils sont historiquement moins fiables que ces quatre Évangiles. Ils sont non seulement beaucoup plus tardifs – entre le IIe et le IVe siècle –, mais traduisent aussi de manière manifeste soit un désir d'enjoliver la vie de Jésus, comme le Proto-Évangile de Jacques ou l'Évangile de l'enfance selon Thomas, soit une perspective gnostique, comme les Évangiles de Judas, de Marie ou de Philippe. Par contre, les chercheurs s'intéressent particulièrement à un Évangile de Thomas cité par des auteurs chrétiens du IIIe siècle, dont une version copte a été retrouvée en 1945 à Nag Hammadi, en Égypte. Formé de 114 paroles de Jésus, précédées chacune de la mention « Jésus a dit », et qui, pour une moitié d'entre elles, ont des correspondances dans les Évangiles canoniques, les chercheurs n'excluent pas qu'il soit antérieur, dans sa version originelle, à l'Évangile de Marc.

Bien qu'intervenue beaucoup plus rapidement que celle du Bouddha, la mise par écrit de la vie de Jésus n'est-elle cependant pas trop tardive pour pouvoir être considérée comme un document historique fiable ? Rappelons quelques dates. Le plus ancien des Évangiles, celui de Marc, a été composé entre 66 et 70, peu de temps après la mort de Pierre et de Paul, mais alors que d'autres témoins directs des événements étaient encore en vie. « Disciple et interprète de Pierre », comme l'écrit l'évêque Irénée en 180[1], Marc n'a pas connu Jésus. Au IVe siècle, l'historien Eusèbe de Césarée confirme les fonctions de Marc en se fiant au témoignage de Papias, évêque de Hiérapolis en 120 : « [Marc] a écrit avec exactitude, mais pourtant sans ordre, tout ce dont il se souvenait qui avait été dit et fait par le Seigneur. Car il n'avait pas entendu ni accompagné le Seigneur ; mais, plus tard, comme je l'ai dit, il a accompagné Pierre. Celui-ci donnait ses enseignements selon les besoins, mais sans faire une synthèse des paroles du Seigneur. Marc n'a pas commis d'erreurs en écrivant comme il se souvenait. Il n'a eu en effet qu'un seul dessein, celui de ne rien laisser de côté de ce qu'il avait entendu, et de ne se tromper en rien dans ce qu'il rapportait[2]. » Les Évangiles de Matthieu, juif christianisé de Syrie, et de Luc, païen converti d'Antioche, ont été écrits en grec entre 80 et 90, en s'inspirant certainement de Marc. Ils n'ont cependant pas repris

1. *Contre les hérésies*, 3, 1, 1.
2. Eusèbe de Césarée, *Histoire ecclésiastique*, 3, 39, 15.

l'ordre chronologique du texte de Marc et y ont ajouté deux chapitres sur l'enfance, ainsi qu'un curieux ensemble commun de paroles inédites de Jésus, connues – depuis leur identification à la fin du XIXe siècle par des exégètes allemands – sous le nom de Q (de l'allemand *Quelle* ou « source »). Il est probable que Q a été une compilation écrite de paroles de Jésus, disparue dans des circonstances inconnues avant la fin du Ier siècle. Enfin, le quatrième Évangile, attribué à l'apôtre Jean, rédigé vers l'an 100, est très différent des trois précédents – dits « synoptiques » parce qu'ils peuvent être disposés en colonnes et comparés, et qu'ils utilisent les mêmes expressions pour raconter, malgré des divergences chronologiques, l'activité de Jésus en Galilée et un unique voyage à Jérusalem, suivi de la crucifixion. Jean, lui, étend le ministère de Jésus à la Judée, il le décrit à quatre reprises au moins à Jérusalem, et lui fait prononcer de grands discours à la place des paroles courtes que privilégient les synoptiques.

Ces quelques divergences entre les quatre récits évangéliques ont pu être interprétées comme la preuve de leur inauthenticité. Certains affirment même que l'Église naissante aurait créé ces textes de toutes pièces pour valider son pouvoir en l'appuyant sur une vie et des paroles mythiques d'un Jésus qui n'aurait peut-être pas même existé. Je pense exactement l'inverse : si une jeune institution avait voulu produire des documents inventés de toutes pièces, elle les aurait rendus cohérents ! Elle ne se serait certainement pas embarrassée de quatre témoignages, mais aurait produit une seule « vie de Jésus », lisse et cohérente de bout en bout ! Le fait que l'institution ait reconnu dès le IIe siècle, puis admis dans son canon officiel à la fin du IVe siècle, ces quatre récits, et qu'elle n'ait même pas tenté de les harmoniser en en gommant les incohérences, ni d'en retrancher les paroles embarrassantes pour elle, me semble être un signe fort de leur autorité, donc du caractère authentique qu'ils avaient pour les premières générations de chrétiens. Cela ne signifie pas pour autant que tous les propos des quatre Évangiles soient strictement conformes à la réalité de la vie et des paroles prononcées par Jésus. Le fait, justement, qu'il existe des divergences entre les récits montre que certains événements ne se sont pas déroulés exactement de la manière dont ils ont été rapportés par l'un ou l'autre des narrateurs. La nécessité de l'interprétation de ces textes fondateurs se fait donc ressentir dès le début de la tradition chrétienne.

Cette interprétation des textes est rendue d'autant plus légitime que, à la différence des récits concernant le Bouddha, qui prétendent retranscrire ses paroles telles qu'elles ont été prononcées, les Évangiles s'assument comme des récits reflétant le point de vue particulier de ceux qui les ont écrits. La tradition chrétienne admet que ces premiers récits sont des points de vue de croyants, non des reportages objectifs, encore moins des textes écrits de la main de Dieu lui-même. Pour les chrétiens, les Écritures saintes sont la parole de Dieu, non parce qu'elles auraient été écrites sous la dictée de Dieu, mais parce qu'elles ont été inspirées par Dieu à des croyants. Or, comme tous autres témoins, les croyants écrivent avec leur personnalité, leur point de vue, leur sensibilité, mais aussi les limites de leur mémoire et des sources, écrites ou orales, auxquelles ils ont eu accès. Des approximations et des interprétations sont donc inévitables et admises. Plutôt que de prendre à la lettre chaque parole des Évangiles, les exégètes et théologiens chrétiens cherchent davantage à considérer la vue d'ensemble et à dégager les lignes de force de ces récits. Or celles-ci sont suffisamment manifestes pour qu'on puisse se faire une idée assez précise de ce que furent la vie et les principaux enseignements de Jésus. Des débats restent ouverts sur tel ou tel événement, voire sur l'authenticité de telle ou telle parole, mais, pour l'essentiel, les exégètes s'accordent sur ce qui est le plus vraisemblable dans les récits évangéliques.

2

Origine sociale et enfance

Siddhârta l'Indien, Socrate le Grec et Jésus le juif palestinien naissent dans des contextes familiaux et culturels très différents. Toutefois, les sociétés au sein desquelles ils grandissent ont pour point commun un climat de contestation de l'ordre établi par les élites politiques et religieuses. Cela ne sera pas sans conséquence sur leur vie et leur message, au caractère fortement contestataire.

Siddhârta, fils d'aristocrate indien

Selon la tradition, Siddhârta Sakyamuni (que l'on connaît mieux sous son titre de Bouddha) était un prince de sang, fils aîné du puissant Shuddhodana, roi de Kapilavastu. Siddhârta, dit la tradition, est né dans un bois à Lumbini, au pied de l'Himalaya, dans le nord-est du sous-continent indien, au cours d'un voyage qu'effectuait sa mère. C'était vers 560 avant notre ère selon la thèse la plus communément admise, soixante-dix ans plus tôt selon la tradition cinghalaise, cinquante ans plus tard selon certaines sources chinoises. Le soir même, l'enfant, la mère et leur escorte retournaient au domicile familial à Kapilavastu. Les recherches historiques et archéologiques menées sur les lieux de naissance du Bouddha ont montré que Kapilavastu était une petite bourgade de la plaine du Gange. Tout porte à croire que le père de Siddhârta fut, dans le meilleur des cas, un roitelet local, plus probablement un membre de la classe aristocratique du clan des Sakya (d'où vient le nom de Sakyamuni), un homme certes important, dont la position sociale assurait aux siens des conditions de vie différentes de celles de la foule des miséreux, mais qui n'avait toutefois pas le statut princier qu'on a bien voulu lui inventer pour enjoliver l'histoire

L'Inde de cette époque, celle du VIe siècle avant notre ère, reste largement dominée par le védisme, religion confisquée par ses prêtres, les brahmanes, membres d'une caste supérieure, qui ne se mêlent pas au peuple, mais se consacrent à d'interminables et complexes rites codifiés par les Veda[1]. Ils multiplient les sacrifices destinés à amadouer les dieux. Colonisée au début du IIe millénaire par les Aryas (ou Aryens) originaires du Caucase, l'Indus a adopté sous leur influence une division sociale hiérarchisée en classes, ou *varna*, totalement étanches, que l'on appellera plus tard castes. Trois classes s'instaurent : celle des brahmanes ou prêtres ordonnateurs du rituel, celle des

1. Collections de textes sacrés, essentiellement des hymnes et des prières rituelles, dont l'élaboration s'est déroulée entre 1800 et 800 avant notre ère.

kshatriyas englobant la noblesse et les guerriers, et celle des vaishyas, les producteurs, elle-même subdivisée en plusieurs sous-classes (commerçants, agriculteurs, serviteurs...). À cela s'ajoute une quatrième strate, celle des « sans-classe », les impurs ou *candala*, littéralement : les sauvages.

La famille de Siddhârta appartenait probablement à la caste élevée des kshatriyas. Les sources bouddhistes précisent que le roi fit appel à des brahmanes pour placer la vie de son fils sous de bons augures. Par contre, il ne semble pas qu'il ait mandé l'un ou l'autre de ces « ascètes des forêts », quêteurs de sens, qui, las du ritualisme excessif et aspirant à une connaissance personnelle de la vérité, étaient, depuis une centaine d'années, sortis des villes pour aller au bout de leur quête. Contestant souvent le système rigide des castes, comme le fera plus tard le futur Bouddha, leurs enseignements, destinés à se transmettre exclusivement de maître à disciple, avaient pourtant débordé leur cercle fermé. Le peuple des villages s'était habitué à les croiser alors qu'ils mendiaient leur obole dans des bols en bois, et à les interroger. On en croisait certainement dans la bourgade de Kapilavastu où a grandi le futur Bouddha. Mais la religion restait encore largement dominée par les prêtres, garants, à travers leurs rituels, de la prospérité des commerçants et des agriculteurs, et de la bonne marche de la société dans son ensemble sous le regard bienveillant des dieux.

L'enfance de Siddhârta a certainement été une enfance dorée, comme celle de tous les jeunes issus de la même caste. Cette enfance, nous ne savons d'elle que ce qu'en dit la littérature bouddhique tardive, où le merveilleux l'emporte souvent sur le vraisemblable. Selon ces récits, son histoire commence avant sa naissance, voire avant sa conception. Sa mère, la reine Maya, qui ne parvenait pas à avoir d'enfant, voit en rêve un éléphant blanc doté de six défenses qui lui touche le flanc de sa trompe. Le roi Shuddhodana convoque les brahmanes, qui, après avoir interprété ce rêve, sont unanimes : cet enfant sera très grand, très noble, son pouvoir s'étendra sur toute la terre. Siddhârta, dit encore la tradition bouddhiste, est né en marchant. Ou plutôt il a surgi du flanc droit de la reine Maya, alors enceinte de six mois. Quelques jours plus tard, raconte le *Nidanakatha*, seule biographie du Bouddha rédigée en pali, huit brahmanes et astrologues sont convoqués pour examiner le nouveau-né : ils retrouvent sur son corps les trente-deux marques du « Grand Homme », qui, dans la tradition indienne, signent un destin extraordinaire. Sept d'entre eux affirment que l'enfant sera soit un Éveillé, un « Bouddha », soit un monarque universel. Le huitième, Kondana, est le seul à exclure la deuxième hypothèse, affirmant que cet enfant sera un Éveillé ; il quittera le palais de son père quand il aura rencontré quatre grands signes : un vieillard, un malade, un mort et un renonçant. C'est alors que le nom de Siddhârta, « celui qui peut exaucer les souhaits des *deva* [divinités] et des hommes », lui est attribué.

Sa mère meurt quelques jours après sa naissance, et c'est donc sa tante qui va l'élever, comme le veut la coutume indienne. Le père du futur Bouddha, qui veut en faire l'héritier du trône, met tout en œuvre pour que le regard de son fils ne croise pas les quatre signes fatidiques. Nul ne transige avec les ordres de Shuddhodana, qui exige de tous une stricte obéissance à la règle qu'il a édictée : son fils verra la vie en rose, et uniquement en rose. Ses biographes racontent que pendant près de trente ans Siddhârta mène ainsi une existence oisive et protégée dans un palais où la misère et même la maladie sont prohibées ! Il est entouré de serviteurs, de cuisiniers, de musiciens, de danseurs, de courtisanes dont toute la vie est consacrée aux plaisirs du prince. Son père aura eu d'autres enfants que les textes évoquent à peine, si ce n'est le cadet, Nanda, devenu l'héritier du trône après le départ de Siddhârta. Au cours de sa vie itinérante ultérieure, l'Éveillé se rendra à deux reprises dans le palais de son enfance pour rencontrer son père, qui finira, à la fin de ses jours, par devenir le disciple de son fils en se convertissant au dharma, la Voie.

Socrate, fils d'une sage femme et d'un sculpteur

Au regard de ce que raconte la tradition bouddhiste des jeunes années de Siddhârta, les épisodes concernant l'enfance de Socrate, bien que rapportés peu de temps après sa mort, sont très limités. Peut-être en sont-ils d'autant plus fiables. Socrate n'est pas un prince, mais il appartient à la classe moyenne aisée d'Athènes. Son père, Sophronisque, est un sculpteur qui vit bien de son art. Sa mère, Phénarète, est une sage-femme que l'on imagine allant d'une maison à l'autre, partout où la vie est sur le point de naître. C'est une femme active, vaquant à ses propres occupations. Une femme « moderne » tentant de combiner vie familiale et vie professionnelle.

Athènes, où naît Socrate vers 470 avant notre ère, frémit de velléités rénovatrices au même titre que l'Inde – mais aussi, quasi simultanément, la Mésopotamie et la Chine. Tandis que ces dernières entament leur « révolution culturelle » sur le mode religieux, rompant avec les anciennes traditions pour répondre aux aspirations spirituelles de l'individu, la Grèce, elle, s'engage dans cette rupture par le biais de la sagesse et de la philosophie. Parallèlement aux prêtres, ordonnateurs de la relation aux dieux, une catégorie de penseurs a émergé. Ces penseurs-là ne sont pas apparus à Athènes, la principale cité où se concentrent les éléments du pouvoir, mais dans des zones périphériques, sur la côte méditerranéenne de l'Asie Mineure, en particulier dans la région de Milet, dans l'actuelle Turquie, où Thalès (v. 625-v. 547) puis son disciple Anaximène (v. 585-v. 525) tentent d'apporter des réponses « rationnelles », c'est-à-dire fondées sur la connaissance empirique, aux questions métaphysiques.

Très vite, ceux que l'on n'appelle pas encore « les philosophes », mais plutôt « les physiciens », parviennent au constat que l'univers forme un tout et que la connaissance du monde passe d'abord par celle de l'homme : « Il faut s'étudier soi-même et tout apprendre par soi-même », affirme ainsi Héraclite (v. 540- v. 450), le penseur d'Éphèse, ville située à proximité de Milet. Parallèlement, des sectes à mystères, telle l'école de Pythagore, se répandent, proposant à leurs adeptes une initiation secrète alliant connaissance de soi et religion ésotérique. Athènes, elle, reste dans un premier temps à l'écart de ce mouvement de penseurs qui réfléchissent à la *physis* (la nature, l'ordre du monde, l'origine des êtres) et à la nature de l'âme. Elle en reçoit quelques échos, certes, mais n'entre dans cette réflexion que quelques décennies plus tard, avec l'arrivée dans ses murs d'Anaxagore (v. 500-v. 428), le premier philosophe à choisir de s'y installer. En même temps qu'Anaxagore, de nouveaux sages, orateurs et enseignants, issus des villes périphériques, emménagent dans la cité. On les appelle les sophistes, les spécialistes de la *sophia,* la sagesse – bien que leur enseignement porte surtout sur l'art de la rhétorique ou sur celui de la politique. Leurs élèves, pour la plupart des fils de nobles, paient cher pour assister à leurs leçons, destinées à leur apprendre non pas tant à philosopher sur le sens de la vie ou sur la nature du monde qu'à argumenter sur ces thématiques pour mieux gouverner ensuite une cité qui a érigé le débat en grand art et porté aux nues la joute oratoire C'est toutefois dans les temples, auprès des prêtres et des dieux, plutôt qu'aux côtés des sophistes, que la population cherche son réconfort.

Un mot sur la situation politique d'Athènes. La Grèce de Socrate émerge de ce que l'on appelle la « période obscure », soit les quatre ou cinq siècles qui ont suivi l'étrange extinction de la civilisation mycénienne, vers 1200 avant notre ère. Durant cette période, la Grèce se dépeuple et se morcelle en petits États étiolés, dotés de roitelets impuissants, mais partageant la même langue, le même panthéon et les mêmes épopées fondatrices, *l'Iliade* et *l'Odyssée*, plus tard attribuées à Homère, ou *Les Travaux et les Jours* d'Hésiode. Progressivement, une aristocratie terrienne a émergé, qui est devenue la véritable détentrice du pouvoir, et, grâce à elle, les cités, ou *polis*, connaissent une nouvelle prospérité. Elles se dotent chacune d'un dieu ou d'une déesse tutélaire, d'une armée, et, à partir du VIe siècle, d'une monnaie, puis de lois. Les arts, les mathématiques, la philosophie, commencent à se développer. Dès le VIe siècle, mais surtout au Ve siècle, Athènes, qui compte alors trois cent mille habitants, dont un tiers de citoyens (c'est-à-dire d'hommes libres de plus de dix-huit ans, nés de parents eux-mêmes athéniens), se révèle la plus prospère et la plus brillante des cités grecques. Vers 499 avant notre ère, les cités ioniennes, dont la plus prospère était Milet, se révoltent contre le joug perse et sollicitent l'aide d'Athènes. C'est ainsi qu'à l'issue des deux guerres médiques, les Athéniens prendront le contrôle, vers 479, des îles de la mer Égée, et organiseront peu après la ligue dite de Délos, sorte de congrès auquel participent des représentants de toutes les cités grecques. Une armée et une monnaie unique sont mises en place, et, progressivement, Athènes, qui préside cette ligue, inféode les autres cités. Elle n'est pas gouvernée par un roi, mais par une assemblée de dix stratèges représentant les grandes familles, élus chaque année par l'assemblée du peuple. En cas de guerre, un stratège est désigné par l'assemblée pour assurer le commandement suprême. Périclès, élu quinze fois stratège, est devenu l'un des hommes politiques les plus influents d'Athènes – au point que l'on surnomme cette période « le siècle de Périclès ».

On peut supposer que Socrate reçut l'éducation classique que la loi exigeait des petits Athéniens de sa classe sociale : des cours de gymnastique, de musique, de géométrie, d'agriculture, et, bien sûr, l'étude des grands poètes tels Homère, Ésope ou Hésiode. On ignore s'il avait un métier. Peut-être s'est-il essayé à la sculpture, comme son père, ainsi que le laisse entendre Diogène Laërce dans ses *Vies, doctrines et sentences des philosophes illustres*. Cependant, si l'on se réfère au *Parménide* de Platon, on voit Socrate préférer, dès l'âge de dix-neuf ans, les discussions avec des sophistes comme Éléate, Protagoras, Polos et Zénon, et avec des femmes d'esprit comme Aspasie, la compagne de Périclès. A-t-il eu un maître privilégié ? Dans le *Cratyle* Platon fait dire à Socrate qu'il fut le disciple de Prodicos[1]. Cependant, dans les autres dialogues, Socrate insiste sur le fait que, bien qu'il se soit instruit toute sa vie durant, il ne fut le disciple de personne, son immense curiosité le poussant plutôt à s'abreuver à toutes les sources, depuis les philosophes physiciens qui l'avaient précédé jusqu'aux sophistes, maîtres de l'art de la parole, en passant probablement par les fidèles des cultes à mystères.

Très attaché à son Athènes natale, Socrate ne s'en est éloigné que pour accomplir ses obligations militaires, participant notamment, pendant les guerres du Péloponnèse contre les Perses et Sparte, aux batailles de Potidée où il sauva la vie d'Alcibiade (vers 430 avant notre ère), puis de Délos et d'Amphipolis (entre

1. *Cratyle*, a 11.

424 et 422 avant notre ère). On ne sait rien de plus de son enfance ni de sa jeunesse, pas plus que de ses premières années de maturité. Dans les dialogues et autres récits que lui ont consacrés ses disciples, il n'est fait aucune allusion à son éducation. Seul point sur lequel insistent les récits, le métier exercé par sa mère, et dont, selon ses propres dires, il héritera à sa façon : celui d'accoucheur. Un accoucheur des esprits...

Enfin, à trente et un ans, il semble que Socrate refuse de rejoindre le Conseil de la cité : il préfère alors sillonner les rues, cultiver son savoir, interroger les détenteurs de la sagesse et de la connaissance, sans négliger non plus le culte et les sacrifices aux dieux. L'appel de la sagesse sera toujours chez lui plus fort que celui de la politique.

Jésus, fils d'artisan juif palestinien

À peu près cinq siècles séparent Jésus, le juif de Palestine, du Bouddha indien, et quatre de Socrate l'Athénien. Aux alentours du début de notre ère, le bouddhisme s'est fortement et durablement implanté dans toute l'Asie, tandis que l'Empire romain, qui a émergé sur les décombres de la Grèce antique, a vu s'épanouir un nombre considérable d'écoles philosophiques, propulsées par l'intuition socratique et tournées vers la connaissance de l'homme plutôt que vers la compréhension de l'univers.

Selon les récits des Évangiles de Matthieu et de Luc, Jésus serait né à Bethléem dans les dernières années du règne d'Hérode le Grand. Celui-ci étant mort en l'an 4 avant notre ère, cela signifie que les moines chrétiens de la fin de l'Antiquité qui ont élaboré un nouveau calendrier à partir de la naissance de Jésus se sont trompés de quelques années. Selon Luc, ses parents, Joseph et Marie, bien qu'originaires de Nazareth, ville de Galilée, s'étaient rendus à Bethléem, en Judée, pour le recensement organisé sous le règne de Quirinus. Or nous savons aussi que ce dernier n'a gouverné la région qu'à partir de l'an 6 avant notre ère. Les historiens estiment ainsi plus plausible que Jésus soit né vers 5 ou 6 avant notre ère, non pas à Bethléem, mais à Nazareth. La désignation de Bethléem par deux des évangélistes serait un enjolivement théologique destiné à le rattacher à la lignée de David : selon la tradition juive fondée sur la promesse de Yahvé (« J'élèverai ta descendance après toi »), le Messie sera issu de cette lignée. Pour les premiers chrétiens, tous issus du judaïsme, cet élément est capital, et Paul ne manque pas de le relever dans ses épîtres (Romains, 1, 3).

Nazareth, où Jésus a passé ses trente premières années, est une bourgade galiléenne d'environ deux mille habitants à large majorité juive. Une bourgade sans aspérités ni éclat, qui n'est pas même mentionnée dans la Bible hébraïque (l'Ancien Testament des chrétiens). À cette époque, la Palestine, conquise par Pompée en – 63, est en crise. Elle souffre, dirait-on aujourd'hui, de schizophrénie : de religion juive, de culture grecque, elle est occupée par les Romains, qui, tout en laissant à ses habitants une certaine liberté de culte, tentent tout de même de les acculturer, au risque de heurter leurs croyances. L'un des fils d'Hérode le Grand, Hérode Antipas, qui gouverne la Galilée sous l'autorité des Romains, orne par exemple son palais de Tibériade, la nouvelle capitale, de représentations animales qui heurtent le monde juif. Il inaugure d'ailleurs cette ville sur l'emplacement d'un cimetière, lieu impur pour les juifs. Pilate, le gouverneur romain qui condamnera Jésus à la peine capitale, frappe quant à lui des monnaies ornées de baguettes d'augures païennes. Les taxes prélevées par Rome sont très lourdes. Un vrai climat insurrectionnel sévit alors en Palestine.

Le judaïsme est à cette époque divisé en quatre grands groupes cités par l'historien Flavius Josèphe dans ses *Antiquités*. Les sadducéens, notables et prêtres de haut rang, gèrent le Temple où tous les juifs viennent pratiquer les sacrifices et les rites de purification par l'eau. Les pharisiens, numériquement majoritaires, prônent l'autorité égale de la Torah et du Temple ; obsédés par la pureté, jusqu'à refuser les contacts avec les païens, attachés à la stricte observance de la Loi, ils sont dans l'attente d'un Messie. Les esséniens constituent le troisième groupe ; ascètes contemplatifs, retirés dans le désert où ils vivent en communautés, ils multiplient bains de purification et prières collectives, rejettent l'autorité du Temple et ne participent pas aux fêtes. Flavius Josèphe cite enfin un quatrième groupe de révoltés qui prônent la violence armée au nom de Dieu : ils seront plus tard appelés les zélotes. Tous ces groupes restent néanmoins liés par la Torah et le monothéisme, ainsi que par leur sentiment d'appartenance à un même peuple. À côté de ces différentes factions, des mouvements messianiques émergent, et quantité de prêcheurs itinérants, parfois fort populaires, sillonnent les routes.

C'est dans ce contexte d'extrême tension politique et d'effervescence religieuse que naît Jésus. Comme la tradition bouddhiste à l'égard du Bouddha, les textes chrétiens attribuent à Jésus une conception et une naissance miraculeuses. Les évangélistes Matthieu et Luc font deux récits à la fois complémentaires et divergents sur quelques points. Luc commence par raconter la conception, elle aussi miraculeuse, de Jean dit le Baptiste, fils d'Élisabeth, la cousine de Marie, et du vieux prêtre Zacharie. Puis il rapporte l'annonciation faite à Marie par l'ange Gabriel : elle concevra par l'Esprit-Saint un fils qui sera nommé « Fils du Très-Haut ». Immortalisée de longue date par l'art pictural chrétien, cette scène de l'Annonciation ne figure pas dans le récit de Matthieu, qui parle aussi de la fécondation miraculeuse de Marie par l'Esprit-Saint, mais affirme que l'annonce en fut faite par l'ange à Joseph, qui entendait répudier sa fiancée lorsqu'il découvrit qu'elle était enceinte avant qu'ils eussent mené vie commune.

Cette famille dans laquelle naît Jésus est certainement très pieuse, comme le sont presque tous les juifs de la Palestine de l'époque. On sait qu'elle respecte le shabbat (le repos du septième jour), qu'elle a procédé à la circoncision du nouveau-né, qu'elle participe aux fêtes juives et se rend au Temple de Jérusalem, où Jésus (en hébreu Yeshua) est présenté peu de temps après sa naissance. Selon le récit de Matthieu, Jésus, encore enfant, aurait été sauvé du massacre de tous les garçons de moins de deux ans, ordonné par Hérode le Grand, grâce à la fuite de sa famille en Égypte. Mais les historiens ne disposent pas d'éléments factuels pouvant confirmer cet épisode, jugé fort peu probable.

Joseph, qui appartient à la classe moyenne inférieure de la société, est charpentier – le terme grec signifie en fait plutôt menuisier : celui qui travaille le bois. Marie se consacre certainement à l'éducation de son fils, auprès duquel elle sera toujours très présente, jusqu'à sa crucifixion. Un fils unique ? Le débat s'est très tôt ouvert au sein du christianisme. Marc et Jean citent quatre « frères » de Jésus : Jacques, Joseph/Joset, Jude et Simon, ainsi que deux sœurs au moins dont les noms ne sont pas donnés (Marc, 3, 21 et 31-35). En hébreu, le mot *ach* désigne aussi bien les frères que les demi-frères et cousins. Au IIe siècle, Tertullien et Hégésippe, deux Pères de l'Église, affirment qu'il s'agit de vrais frères, des « frères selon la chair », tandis que le Proto-Évangile de Jacques note que ces frères et sœurs sont en fait des demi-frères et demi-sœurs issus des premières noces de Joseph. Au fil des siècles, les Églises ont adopté sur cette question – d'autant plus épineuse qu'elle peut remettre en cause le dogme de la « virginité perpétuelle » de Marie – des réponses différentes : pour l'Église catholique, ces *ach* sont des cousins ; les Églises orientales les présentent comme des demi-frères et demi-sœurs ; quant aux Églises protestantes, elles n'excluent pas qu'il s'agisse de frères et sœurs à part entière.

Concernant la jeunesse de Jésus, les Évangiles se contentent de noter que « l'enfant grandissait, se fortifiait » (Luc, 2, 40), qu'il « croissait en sagesse, en taille et en grâce devant Dieu et devant les hommes » (Luc, 2, 52). Luc précise que la famille se rendait chaque année au Temple pour la Pâque ; c'est au cours de l'une de ces montées à Jérusalem que Jésus, alors âgé de douze ans, aurait fugué, suscitant l'angoisse de ses parents qui le cherchèrent partout pendant plusieurs jours et finirent par le retrouver à Jérusalem, au Temple, au milieu des docteurs de la Loi qu'il questionnait de manière fort pertinente (Luc, 2, 42-50). L'enfant est précoce, intelligent, on peut supposer que, comme les autres enfants juifs, il fréquenta jusqu'à la puberté l'école de la synagogue où il apprit l'hébreu, puis, en tant qu'aîné, poursuivit quelque peu ses études avant d'adopter le métier de son père. C'est d'ailleurs sous le surnom de « charpentier » que les Nazaréens le désignent quand il s'adresse à eux à la synagogue (Marc, 6, 3). Outre l'hébreu, il parle l'araméen, langue d'usage de l'époque en Palestine, et peut-être un peu le grec et le latin, langues de l'élite.

Au récit canonique assez sommaire, les évangiles dits apocryphes, c'est-à-dire non reconnus par le canon, ont ajouté quantité d'épisodes merveilleux. On voit ainsi, dans le Proto-Évangile de Jacques ou dans l'Évangile de l'enfance selon Thomas, un enfant Jésus qui fait des miracles, donnant vie par exemple à des oiseaux d'argile. C'est aussi dans le Proto-Évangile de Jacques, qui date du IIe siècle, que se trouve le récit de la « conception sans tache » de Marie, mère de Jésus. Selon le dogme de foi que définira bien plus tard l'Église catholique (1854), Marie serait immaculée dans sa conception, et, de ce fait, exempte de la souillure du péché originel. Cela parce qu'elle allait être appelée un jour à enfanter Jésus, « le Fils du Très Haut ».

Comme pour les traits merveilleux de l'enfance du Bouddha, l'historien ne peut évidemment qu'être sceptique face à de tels récits qui foisonnent dans les vies de personnages religieux illustres, et qui visent à édifier les fidèles en montrant le caractère exceptionnel de leur destinée. Y adhérer relève du domaine de la foi.

3

Sexualité et famille

Socrate, Jésus et Siddhârta ont-ils été célibataires ou mariés ? Sait-on quelque chose de leur vie sexuelle et conjugale ? Bien que leurs plus anciens biographes ne s'attardent pas sur ces questions, ils donnent toutefois suffisamment d'indications, par ailleurs fort plausibles, selon notre connaissance actuelle des contextes historiques dans lesquels ils ont respectivement vécu, pour qu'on puisse se faire une idée assez précise du statut matrimonial de chacun d'eux et de leur attitude par rapport à la sexualité.

Socrate : le père de famille qui aimait les jeunes gens

Socrate appartient à une famille de la petite bourgeoisie : il est marié, comme le veut la coutume. Selon plusieurs sources, il aurait épousé une seule femme, l'acariâtre Xanthippe, dont il aurait eu trois enfants. Dans les pages qu'il a consacrées au père de la philosophie, Diogène Laërce, l'historien grec du début du

IIIe siècle, cite des anecdotes qui se seraient déroulées au domicile conjugal, notamment une invitation à dîner proposée par Socrate à des « gens riches », invitation qui tourmente son épouse en raison de ses faibles moyens financiers. Il raconte également les scènes de ménage que fait subir Xanthippe à Socrate, lui arrachant son manteau en public, ou lui jetant, dans un accès de colère, un seau d'eau à la tête. « N'avais-je pas prédit que tant de tonnerre amènerait la pluie ? » lui réplique alors froidement son époux.

Dans le *Phédon* de Platon, on voit Xanthippe et ses fils rendre visite à Socrate dans sa prison juste avant qu'il ne boive la ciguë. D'autres sources, s'appuyant sur Aristote, affirment que Xanthippe fut sa première épouse, dont il eut un fils, Lamproclès, puis qu'il épousa en secondes noces Myrto, descendante d'une grande famille patricienne et mère de ses deux autres fils, Sophronisque et Ménexène. Cette hypothèse semble plus plausible, si l'on se réfère à l'épisode de la visite à la prison décrite par Platon, mais dont ce dernier ne fut pas le témoin direct : le plus jeune fils de Socrate a alors une dizaine d'années. Socrate a lui-même soixante-dix ans, Xanthippe, à peu près le même âge, ce qui permet d'affirmer qu'elle ne pouvait être la mère de cet enfant[1].

Dans la Grèce de l'époque, avoir une épouse n'engage en rien à la fidélité : tous les hommes sont alors mariés dans l'objectif déclaré de fonder une famille, mais ils mènent presque tous une vie parallèle,

1. Voir sur ce sujet *Socrate et les socratiques*, sous la direction de Gilbert Romeyer-Dherbey, Vrin, 2001, pp. 30-31.

parfaitement admise, voire encouragée par les mœurs sociales. Un dialogue entre Socrate et Alcibiade, rapporté par Diogène Laërce, résume cette situation. À Alcibiade qui lui demande comment il supporte encore les cris et les scènes de son épouse, Socrate lui rétorque qu'il supporte bien, lui, les cris de ses oies. « C'est qu'elles me donnent des œufs et des oisillons », explique Alcibiade. Et Socrate de répondre : « C'est pareil, ma femme me fait des enfants. »

Des récits de ses disciples, on comprend que Socrate avait peu de commerce avec la gent féminine, fréquentant plus volontiers les jeunes gens, comme nombre de ses concitoyens. À en croire Platon, « un penchant amoureux mène Socrate vers les beaux jeunes gens : il ne cesse de tourner autour d'eux, il est troublé par eux » (*Le Banquet*, 216d). Socrate le reconnaît dans le *Gorgias* quand il avoue à Calliclès être « épris de deux objets : Alcibiade, fils de Clinias, et la philosophie » (481d). Et son interlocuteur de s'amuser au début du *Protagoras* : « D'où viens-tu, Socrate ? Mais faut-il le demander ? C'est de ta chasse ordinaire. Tu viens de courir après le bel Alcibiade » (309a).

Socrate aimait assurément les jeunes garçons. Mais il n'est dit nulle part explicitement qu'il soit physiquement allé jusqu'au bout de sa passion : au fil des dialogues apparaît plutôt, en dépit des démonstrations d'affection, la volonté du philosophe de refuser l'amour du corps au profit du seul amour de l'âme. C'est le même Alcibiade, si aimé par Socrate, qui énumère ainsi, dans *Le Banquet*, les efforts qu'il prodigue en vain pour tenter de conquérir le corps du philosophe.

Ainsi lors de leur premier tête-à-tête, où, dit-il, « je m'attendais toujours qu'il allait me tenir sur-le-champ de ces discours que la passion inspire aux amants quand ils se trouvent sans témoins avec l'objet aimé » (217b). En pure perte. De même, évoquant leur entraînement à la gymnastique, probablement tout nus comme le voulait alors la coutume : « Je n'en étais pas plus avancé », avoue-t-il (217d). Et enfin, cette nuit où il se glisse dans le lit du « divin et merveilleux personnage », se heurtant une fois de plus à l'insensibilité de Socrate : « Il n'a eu que du dédain et que du mépris pour ma beauté », dit Alcibiade (218d), ajoutant, sans avoir encore digéré l'épisode : « J'en atteste les dieux et les déesses, je me levai d'auprès de lui tel que je serais sorti du lit de mon père ou de mon frère aîné » (219 c-d).

Bouddha, le renonçant

Dans son palais, le jeune prince Siddhârta jouissait de tous les plaisirs de la vie, y compris de la présence de courtisanes qui, selon ses biographes, lui dispensaient toutes sortes de soins corporels, des bains parfumés, des massages sophistiqués auxquels il prenait grand plaisir. Il a tout juste dix-sept ans quand il se choisit une épouse, sa cousine la princesse Yasodara, et se dote d'un gynécée, comme le veut la coutume. Le jeune homme ne rejette ni les bonheurs charnels ni l'opulence : durant treize ans, il vit pleinement les plaisirs raffinés qui lui sont prodigués ; il ne dénigre pas non plus les orgies. C'est d'ailleurs après une nuit de fête que le prince décide de tout abandonner pour se mettre en quête de la Voie. Une nuit qui fut fort animée par les musiciennes, les danseuses et les courtisanes, nuit au cours de laquelle il jouit jusqu'à plus soif de tous les plaisirs, au point de s'endormir au milieu des femmes à moitié dénudées. Quand il se réveille, alors que tout le palais dort encore, il est brutalement révulsé par la vision de ces corps en quoi il ne perçoit plus qu'un amoncellement de cadavres. C'est là qu'il s'en va, non sans avoir au préalable cédé à un ultime désir : embrasser son fils qui vient de naître, un fils qu'il prénomme Rahula, ce qui signifie littéralement « chaînes ». Mais, une fois dans la chambre de son épouse, quand il s'approche de Rahula et s'apprête à le prendre dans ses bras pour lui dire au revoir, il recule : les textes anciens précisent que le prince craint, ce faisant, de s'attacher à l'enfant et de renoncer alors à partir. Il lui tourne donc le dos et quitte le palais.

Ici s'arrête, selon ses biographes, la vie sexuelle du Bouddha, qui n'aura de cesse de prêcher aux siens de se garder de la recherche du faux bonheur que procurent les plaisirs des sens. Parce que la sexualité est le désir par excellence, et que le désir est le principal écueil sur la voie de l'Éveil, il interdira sa pratique à ceux qui optent pour la voie monastique, c'est-à-dire à ceux qui aspirent à atteindre le nirvana dès cette vie-ci. Cette interdiction constitue, avec celles de voler, de tuer et de mentir, les quatre parajika, les quatre interdits les plus essentiels parmi les deux cent vingt-sept règles de conduite exigées des moines et des moniales. Quant aux laïcs qui s'engagent dans cette voie, le

Bouddha édicte à leur intention une liste réduite de vœux, et, s'il ne leur interdit pas les pratiques sexuelles, il leur demande d'« éviter l'inconduite » et de s'abstenir de ces pratiques durant les uposatha, les « jours d'abstinence ».

Jésus, le célibataire

Jésus a toujours été très entouré de femmes, y compris dans le groupe de disciples qui le suivaient, ce qui peut surprendre dans la Palestine de l'époque, où, selon la tradition (valable d'ailleurs tout autour de la Méditerranée), les femmes, éternelles mineures, ne quittaient la tutelle et la maison du père que pour celles de l'époux.

Les femmes qui suivaient Jésus étaient parfois sulfureuses : des marginales, des veuves, des prostituées, des « femmes qui avaient été guéries d'esprits mauvais et de maladies ; Marie, appelée la Magdalénienne, de laquelle étaient sortis sept démons, Jeanne, femme de Chouza, intendant d'Hérode, Suzanne et plusieurs autres, qui les assistaient de leurs biens » (Luc, 8, 2-3). Les rapports qu'il entretient avec elles ne sont pas toujours bien perçus par certains observateurs de l'époque. Dans la demeure d'un pharisien qui l'invite à sa table, Jésus laisse ainsi « une pécheresse » arroser ses pieds de parfums et de larmes, avant de les essuyer – geste au combien sensuel ! – avec ses cheveux, puis de les couvrir de baisers, à la stupéfaction de son hôte (Luc, 7, 36-39). Et il va encore plus loin, quitte à scandaliser tous ceux qui l'écoutent : « Les publicains et les prostituées arrivent avant vous au Royaume de Dieu » (Matthieu, 21, 31).

Jésus a-t-il été marié ? Selon ses propres dires, le mariage est un état naturel et noble : « Le Créateur, dès l'origine, les fit homme et femme, et [...] il a dit : ainsi donc l'homme quittera son père et sa mère pour s'attacher à sa femme, et les deux ne feront qu'une seule chair » (Matthieu, 19, 5). Pour autant, il est quasi-certain que Jésus ne s'est pas marié. Ni les textes du Nouveau Testament ni aucun écrit des trois premiers siècles n'évoquent, ne serait-ce que de manière allusive, l'existence d'une épouse ou d'enfants de Jésus. Cette question n'a pas fait débat pour les premières générations de chrétiens, ce qui montre qu'elle ne se posait même pas. Or, si Jésus avait été marié et avait fondé une famille, on ne voit pas les raisons qui auraient poussé ses disciples à ne pas en faire mention. En effet, la tradition juive insiste fortement sur le mariage, et tous les rabbis, prêtres et docteurs de la Loi de l'époque se mariaient. La plupart de ses apôtres, à commencer par Pierre, étaient mariés, et on se demande ce qui les aurait incités à ourdir un tel complot du silence pour dissimuler un état de vie qui était alors jugé parfaitement compatible avec une mission spirituelle. La réalité est sans doute beaucoup plus simple : comme le disent les Évangiles, Jésus a préféré suivre la voie des prophètes itinérants et des esséniens, ce groupe d'ascètes radicaux qui prônaient le célibat en vue d'accéder au royaume de Dieu, comme nous l'ont confirmé les récentes découvertes des manuscrits de la mer Morte.

Cela posé, même s'il n'a pas fondé une famille, Jésus a-t-il charnellement connu une femme ? Les quatre Évangiles canoniques ne disent mot à ce sujet. Mais, parmi les divers textes apocryphes découverts en 1945 à Nag Hammadi, en Égypte, l'un d'eux fait référence à Marie de Magdala, et la présente par deux fois comme la compagne de Jésus. Il s'agit de l'Évangile de Philippe, qui date du IVe siècle : « Trois marchaient toujours avec le Seigneur. Marie sa mère, et la sœur de celle-ci, et Myriam de Magdala, que l'on nomme sa compagne » (Évangile de Philippe, 59). Quelques pages plus loin, le texte précise : « Le Seigneur aimait Marie plus que tous les disciples, et Il l'embrassait souvent sur la bouche. Les autres disciples le virent aimant Marie, ils Lui dirent : "Pourquoi l'aimes-tu plus que nous tous ?" Le Sauveur répondit, et dit : "Comment se fait-il que je ne vous aime pas autant qu'elle ?" » (Évangile de Philippe, 63). Ce second texte est cité par Dan Brown dans le *Da Vinci Code*[1] et constitue, selon lui, la preuve des rapports charnels qu'entretenaient Jésus et Marie de Magdala.

Cette interprétation n'est pas à exclure, mais elle est un peu rapide. D'abord parce que l'Évangile de Philippe est le seul parmi les dizaines de textes canoniques et apocryphes à présenter explicitement Marie de Magdala comme la compagne de Jésus. Et rien ne permet de penser qu'il soit plus conforme à la vérité his-

1. Dan Brown, *Da Vinci Code*, Lattès, 2003, p. 308. Je reprends ici les arguments développés dans mon ouvrage coécrit avec M. F. Etchegoin, *Code Da Vinci, l'enquête*, Laffont, 2004, Points Seuil, 2006.

torique. On objectera, selon la thèse du *Da Vinci Code*, que l'Église, justement, n'a conservé que les Évangiles qui taisaient ce secret. Certes, mais on peut se demander aussi pourquoi les nombreux autres Évangiles apocryphes, également rejetés par l'Église, n'en font pas état. D'autre part, et surtout, une lecture intégrale de l'Évangile de Philippe plaide pour une autre interprétation. Ce texte se présente, à l'inverse des Évangiles canoniques, non pas comme un récit de la vie de Jésus, mais comme un florilège de sentences dont certaines sont attribuées à Jésus, « le Seigneur ». L'intention de l'auteur – ou des auteurs – n'est pas d'apporter une connaissance des faits, gestes et paroles du Christ, mais de transmettre un enseignement ésotérique à travers un ensemble de paroles et de métaphores mystiques. Les spécialistes de Nag Hammadi ont montré le caractère gnostique de ce texte, qui est un véritable traité initiatique sur les noces spirituelles entre Dieu et l'âme humaine déchue. Or ces noces mystiques se réalisent grâce au « souffle » (équivalent en copte du *pneuma* grec) que communique le Christ à ses disciples. De nombreux passages de cet Évangile de Philippe utilisent les images d'« étreinte » et de « baiser » pour signifier la transmission du souffle à l'initiée. Comme le fait justement remarquer le philosophe et théologien orthodoxe Jean-Yves Leloup, le sens du baiser de Jésus et de Myriam de Magdala n'est compréhensible que si on le situe non seulement dans le contexte gnostique, mais aussi dans celui du judaïsme mystique. Or le mot « baiser » en hébreu (*nashak*) signifie « respirer ensemble ». La mystique juive évoque la transmission du souffle divin par l'image d'un baiser, et c'est dans la conjonction des baisers que se transmet le secret qui introduit à la « chambre nuptiale », le véritable saint des saints. Or c'est bien là le thème central de l'Évangile de Philippe – Jésus transmet le souffle à ses disciples pour les faire entrer dans la chambre nuptiale, et c'est également par le baiser qu'est signifiée la transmission entre initiés : « L'homme accompli devient fécond par un baiser, et c'est par un baiser qu'il fait naître. C'est pourquoi nous nous embrassons les uns les autres et nous nous donnons mutuellement naissance par l'amour qui est en nous » (Évangile de Philippe, 59). Dans ce contexte symbolique et mystique, Myriam de Magdala apparaît beaucoup plus logiquement comme le modèle du disciple parfait que comme la maîtresse du Christ. C'est la raison pour laquelle les disciples sont jaloux et demandent à Jésus pourquoi il l'aime plus qu'eux. Que le modèle du disciple parfait (celui qui échange le baiser avec le Seigneur) soit une femme apparaît aussi dans la logique du texte, qui présente l'union du masculin et du féminin comme l'image en ce monde de l'union de l'âme à Dieu.

Que Jésus ait voué une profonde affection à certaines femmes citées dans les Évangiles, c'est certain. Qu'il ait entretenu avec l'une d'elles ou certaines d'entre elles des relations charnelles, nul ne le saura jamais.

4

Naissance d'une vocation

Comment Siddhârta, Socrate et Jésus sont-ils devenus des maîtres spirituels ayant profondément marqué leurs disciples ? Quels événements les ont décidés à transmettre leur message et leur enseignement sur la place publique ? Comment est née leur vocation ? L'ont-ils d'ailleurs choisie, ou celle-ci s'est-elle imposée à eux ?

Bouddha : l'éveil intérieur

Les biographes du Bouddha, pourtant friands d'anecdotes merveilleuses sur sa naissance et son enfance, ne font jamais mention d'une quête intérieure précoce. Dans son palais, le jeune prince Siddhârta est tout entier absorbé par les plaisirs de la vie. Mais il finit par s'en lasser. Et c'est l'ennui qui s'installe. Un jour, il demande à son fidèle cocher d'atteler son cheval pour se rendre au jardin royal, hors de l'enceinte du palais. Le cocher s'exécute malgré les ordres du roi, qui, prévenu par les astrologues et les brahmanes, s'emploie activement à prémunir son fils contre les quatre visions qui feront basculer sa vie : celles d'un vieillard, d'un malade, d'un mort puis d'un ascète.

Les *deva*, disent les textes, interviennent une fois de plus dans la vie du jeune homme et lui envoient le premier signe : Siddhârta, qui n'a vu jusque-là que des individus jeunes et en bonne santé, croise sur le chemin un vieillard ridé et édenté, aux cheveux blancs, courbé sur sa canne. Choqué, il interroge son cocher qui lui répond : « C'est un vieillard. Une personne parvenue à la vieillesse. » Puis il ajoute : « Tous les êtres vieillissent de la sorte, la jeunesse ne dure qu'un temps, puis le corps s'use. »

Quatre mois plus tard, le prince décide de se rendre une seconde fois au jardin. Il voit alors devant lui un homme affaibli et fiévreux, le corps couvert de pustules, jeté à la rue par sa famille. C'est son cocher qui l'éclaire une fois de plus : « C'est un malade. Et il existe bien d'autres maladies ! – Et moi, vais-je tomber malade ? demande le prince. – Personne n'est épargné, dit le cocher. Avoir un corps amène inévitablement à éprouver un jour ou l'autre la maladie. » C'est alors que Siddhârta prend conscience du caractère éphémère des plaisirs des sens.

Quatre mois passent encore, Siddhârta s'en retourne au jardin et découvre un cortège funèbre ; impressionné, il apprend ce qu'est la mort : « Ces personnes, lui explique son cocher, pleurent parce qu'elles ne reverront jamais celui qui est parti et que l'on emmène vers le champ de crémation. – Moi aussi, je mourrai un jour ? demande le prince, effrayé. – Tous les êtres qui peuplent l'univers connaîtront la mort, dit le cocher.

Tout corps finit par dépérir de cette façon et par aboutir à la mort. » Ce troisième signe bouleverse le prince qui se promet de trouver un moyen d'échapper à la mort.

Quatre mois plus tard, Siddhârta sort une ultime fois. Il voit le dernier des quatre signes : un moine errant, tenant son bol à aumône, absorbé, le visage serein, dans une profonde méditation. Il comprend que sa riche condition ne le protégera jamais de la vieillesse, de la maladie ni de la mort, mais qu'il doit partir en quête de la vérité qui, seule, pourra le libérer.

La tradition narre les conditions de ce départ avec force détails. C'est, comme on l'a vu plus haut, à l'issue d'une nuit d'orgie que se produit le déclic décisif pour le prince alors âgé de trente ans. Il ne dit pas adieu à son fils, fait seller son cheval et s'enfuit du palais. Parvenu suffisamment loin, il demande à son cocher de s'arrêter. Il lui abandonne sa monture, son manteau et tous ses biens, se rase la tête et entame la deuxième phase de sa vie, celle du renoncement. Dans la forêt, le prince devenu mendiant reçoit le nom de Gautama, littéralement « celui qui est doté d'une sagesse digne de louanges », et rejoint Alara et Udaka, deux maîtres yogis parmi les plus réputés. Il parvient très vite à les surpasser en matière de concentration, mais réalise que les pratiques yogiques ne suffisent pas à se libérer du samsara, la roue des existences. Gautama poursuit donc sa quête, cette fois auprès de cinq ascètes parmi les plus stricts. Ces renonçants détournaient la logique sociale du sacrifice en prônant son intériorisation, allant jusqu'à adopter des pratiques extrêmes de sacrifice de soi, en lesquelles ils voyaient l'unique accès à la libération. Certains d'entre eux ont sans doute fait école à leur époque, mais l'histoire a oublié leurs noms : nul texte, nulle stèle n'est là pour témoigner du parcours de ces individus qui œuvraient à l'émancipation de leur âme de l'incessante ronde des renaissances (« ronde » qui est une croyance issue du vieux fonds chamanique de l'Indus et que l'on retrouve, même si c'est sous une forme moins explicite, en d'autres traditions premières de l'humanité).

Mais revenons à Gautama. Celui-ci passe cinq ans aux côtés de ses nouveaux compagnons, frôle la mort à force de privations et de souffrances, mais ne connaît toujours pas la délivrance. Au contraire, disent les textes, il est dans un état d'affaiblissement tel qu'il en devient incapable de se livrer à la méditation. C'est alors qu'il décide d'abandonner cette voie extrême dont il constate la vacuité. Il recommence à se nourrir normalement, ce qui lui vaut d'être expulsé du groupe d'ascètes.

Gautama reprend donc la route, seul, une fois de plus. Il marche jusqu'à l'orée d'un village, le hameau d'Uruvilva, l'actuelle Bodh-gayâ, et s'installe, les jambes repliées, sous un arbre, un pipal (appelé aussi *Ficus religiosa*), faisant vœu de ne plus bouger avant d'avoir découvert la Vérité. Les textes canoniques racontent que Mara, dieu de la Mort, déploya tous ses efforts pour le détourner de ce but. Il essaya de l'effrayer avec ses armées de démons, puis de le tenter avec des femmes d'une extraordinaire beauté. Peine perdue. En une nuit, Siddhârta accède à l'Éveil : il comprend le mystère de la vie et le moyen d'aider les humains à se libérer du samsara, la ronde infernale des renaissances. Siddhârta

Gautama deviendra désormais « le Bouddha ». Comme les autres « Éveillés » qui l'ont précédé mais qui n'ont guère laissé d'enseignement, il acquiert ce que la tradition appelle les « six connaissances » : celles de tout voir, tout créer, tout entendre, tout savoir, de connaître ses existences antérieures et celles des autres, enfin la connaissance qui permet de sortir du samsara.

Il passe sept jours assis à la même place, hésitant à aller enseigner le dharma, la voie qu'il a comprise, parce qu'il la sait ardue. Les récits bouddhistes racontent qu'il aurait finalement cédé aux supplications du dieu Brahmâ, venu se prosterner devant lui, entouré des *deva*[1]. C'est donc par compassion qu'au terme de cette semaine de méditation intense le Bouddha reprend la route pour une carrière de prédicateur qui durera quarante-cinq ans.

Jésus : l'appel de Dieu

De l'enfance de Jésus, je l'ai déjà dit, nous ne savons presque rien, si ce n'est qu'il a manifesté très tôt une véritable passion pour la chose religieuse, au point de soutenir, à peine adolescent, une discussion avec les rabbis du Temple de Jérusalem. Les sources, chrétiennes et non chrétiennes, dont nous disposons couvrent la seule (et brève) période du ministère public de Jésus. Celle-ci a duré entre un an (selon les synoptiques) et trois ans (selon Jean), sous le règne de Tibère César, alors que Ponce Pilate était gouverneur de Judée.

1. *Vinaya Mahavagga*, 1, 5.

La vocation de prédicateur de Jésus a-t-elle lentement mûri durant ses trente premières années ? A-t-il fréquenté ou même suivi les « prophètes » qui prêchaient dans les bourgades ou réunissaient leurs disciples dans le désert, dans une Palestine où le judaïsme, loin d'être monolithique, était traversé d'une multitude de courants ? A-t-il fréquenté la communauté des esséniens ? Aucune allusion à Jésus ne figure dans les manuscrits de Qumran, la bibliothèque essénienne retrouvée à partir de 1947 dans des grottes à proximité de Jérusalem – il faut dire que la plupart de ces manuscrits retrouvés sont antérieurs au Ier siècle de notre ère, le groupe lui-même s'étant selon toute vraisemblance éteint après la destruction du Temple, en 70. Nous n'avons aucun élément qui permette de répondre de manière convaincante à toutes ces questions.

La mise en scène des Évangiles évoque une vocation plutôt soudaine quand Jésus, qui a « environ trente ans » (Luc, 3, 23), retrouve son cousin Jean-Baptiste à Béthanie, sur les rives du Jourdain. Jean-Baptiste est alors l'un de ces prophètes qui mènent une action à la fois politique (il critique fortement la transgression de la Loi par Hérode Antipas, tétrarque de Galilée) et religieuse : il annonce la venue imminente du Messie, demande au peuple de se repentir dans la perspective du Jugement dernier, et pratique un baptême de purification par l'eau. Il sera arrêté et mis à mort par Hérode, ainsi que le narre l'historien Flavius Josèphe : « Hérode l'avait fait tuer, quoique ce fût un homme de bien et qu'il excitât les juifs à pratiquer la vertu, à être justes les uns envers les autres et pieux envers Dieu pour recevoir le baptême [...]. Hérode craignait qu'une telle faculté de persuader ne suscitât une révolte, la foule semblant prête à suivre en tout les conseils de cet homme. Il aima donc mieux s'emparer de lui avant que quelque trouble se fût produit[1]. »

Jésus se fait baptiser par Jean-Baptiste dans le Jourdain. Les évangélistes Marc, Matthieu et Luc rapportent l'événement en précisant qu'au moment où Jésus est sorti de l'eau les cieux se sont déchirés : l'Esprit est descendu sur lui sous la forme d'une colombe, et une voix « partit du ciel », lui disant : « Tu es mon fils » (Luc, 3, 21-22). Jean, lui, occulte l'épisode du baptême, mais maintient le récit de la descente de l'Esprit – sous la forme d'une colombe – sur celui dont il fait dire au Baptiste : « Celui-ci est l'Élu de Dieu » (Jean, 1, 34).

Selon les trois Évangiles synoptiques, son baptême est suivi d'une retraite solitaire de quarante jours dans le désert, au cours de laquelle, comme le Bouddha, il combat Satan qui tente de le détourner de sa mission au travers de trois grandes tentations auxquelles il oppose sa résistance. Ce n'est qu'après cela que « Jésus retourna en Galilée, avec la puissance de l'Esprit, et une rumeur se répandit par toute la région à son sujet. Il enseignait dans leurs synagogues, glorifié par tous » (Luc, 4, 14-15). Selon Jean, deux premiers disciples, dont André, le frère de Simon Pierre, entendant les propos de Jésus, décident de le prendre pour maître et de le suivre. D'autres disciples viennent rapidement se

1. *Antiquités juives,* 18, 116-119.

greffer au petit groupe : Pierre, le frère d'André, puis Philippe et Nathanaël, puis les Douze (chiffre en relation symbolique avec les douze tribus d'Israël) ; ensuite le cercle s'élargit et inclut de nombreuses femmes. Jésus entame alors sa carrière de prédicateur itinérant, sillonnant les bourgades de Galilée et pratiquant exorcismes, guérisons et miracles – éléments centraux de son activité, selon le Nouveau Testament.

L'oracle de Delphes et le daïmon *de Socrate*

Socrate a-t-il connu son aîné Anaxagore ? Né à Clazomènes, celui-ci a la réputation d'avoir introduit la philosophie à Athènes. Une légende voudrait que Socrate ait dans un premier temps compté parmi les disciples d'Anaxagore, tenant de la théorie du *Nous*, intelligence physique, quasi mécanique, ordonnatrice de l'univers. Cette théorie lui vaudra d'ailleurs d'être condamné à mort pour athéisme : Anaxagore fuira alors Athènes pour finir ses jours à Milet, berceau des philosophes. Il est fort probable que les deux hommes se soient croisés dans les cercles de penseurs athéniens qu'ils fréquentaient l'un et l'autre. Le *Phédon* de Platon et *les Nuées* d'Aristophane laissent supposer que, dans un premier temps, Socrate s'est intéressé aux spéculations de la physique, qui constituaient l'essentiel de la réflexion de ces philosophes que l'on appelle aujourd'hui « présocratiques ». Néanmoins, Socrate ne tarde pas à chercher ailleurs une explication aux questions qu'il se pose : « La réputation que j'ai acquise vient d'une certaine sagesse qui est en moi. Quelle est cette sagesse ? C'est peut-être une sagesse purement humaine », lui fait dire Platon dans son *Apologie* (20d), laissant entendre que la démarche réflexive a toujours fait partie de sa quête. D'ailleurs, parmi ses premiers compagnons, certains se vivent déjà comme ses disciples, alors même qu'il n'a pas encore entamé sa carrière de philosophe errant – carrière que l'on pourrait comparer à celle des prédicateurs sillonnant au même moment les contrées éloignées de l'Indus et de la Mésopotamie[1].

Sa carrière commence véritablement avec un étrange épisode qui se situe vers 420 avant notre ère, rapporté notamment par Platon dans son *Apologie*[2]. Socrate a alors environ cinquante ans. Chéréphon, l'un de ses amis d'enfance, se rend à Delphes pour consulter l'oracle de la pythie, le plus célèbre de toute la Grèce, qui lui affirme : « De tous les hommes Socrate est le plus sage (*sophos*). » Dubitatif, Socrate se rend auprès de l'homme qui passe pour le plus grand sage d'Athènes, un politicien dont il ne révèle pas le nom. Il en revient bouleversé : « Je raisonnai ainsi en moi-même : je suis plus sage que cet homme. Il peut bien se faire que ni lui ni moi ne sachions rien de fort merveilleux ; mais il y a cette différence que lui, il croit savoir, quoiqu'il ne sache rien. Et que moi, si je ne sais rien, je ne crois pas non plus savoir. » Il s'adresse ensuite aux poètes, aux artistes, à tout ce que la cité compte de personnalités réputées. Il en arrive à cette conclusion : il n'existe pas d'homme sage. À partir de ce moment, Socrate voit

1. Voir mon *Petit Traité d'histoire des religions*, Plon, 2008.
2. *Apologie*, 21a.

dans l'oracle de la pythie le signe d'une mission divine, un encouragement à enseigner. Et il fait désormais sienne la devise inscrite au fronton du temple d'Apollon : « Connais-toi toi-même ».

À plusieurs reprises, Socrate insiste sur l'existence en lui d'une « voix » intérieure, un *daïmon*, littéralement son « démon », un génie familier qu'il considère comme une émanation de la divinité. Celui-ci l'accompagne depuis que l'oracle de Delphes l'a désigné, l'arrêtant quand il faut ou le stimulant quand il est sur le point de manquer à sa mission, se substituant aux oracles pour lui faire parvenir le message des dieux. C'est cette voix qui l'aide à croiser le chemin de Phèdre pour se lancer avec lui dans un long dialogue sur l'amour. Socrate le reconnaît avec une simplicité déconcertante : « Lorsque j'étais, bon ami, sur le point de repasser la rivière, j'ai senti ce signal divin et familier qui m'arrête toujours au moment où je vais accomplir une action. J'ai cru entendre ici même une voix qui me défendait de partir avant de m'être astreint à une expiation, comme si j'avais commis quelque faute à l'égard de la divinité », rapporte-t-il à son compagnon (*Phèdre*, 242). Ses disciples ne savent trop qu'en penser : « Il disait avoir en lui un génie qui lui indiquait ce qu'il devait faire et ce qu'il devait éviter », commente sobrement Xénophon (*Mémorables*, 4, 8). Ils restent cependant stupéfaits face au très étrange état dans lequel Socrate peut tomber à l'improviste, état de catalepsie qui le maintient complètement immobile, sans même battre des paupières. Cela pouvait durer quelques minutes ou plusieurs heures, et il était alors complètement étranger à tout ce qui pouvait se produire autour de lui. Était-il abîmé dans une sorte de méditation ? En connexion avec son *daïmon,* avec lequel il entretenait une relation privilégiée ? Nul ne s'est hasardé à interpréter ces états extatiques. Platon en a fait une description factuelle dans *Le Banquet* : « Un matin, on l'aperçut debout, méditant sur quelque chose. Ne trouvant pas ce qu'il cherchait, il ne s'en alla pas, mais continua de réfléchir dans la même posture. Il était déjà midi. Nos gens l'observaient et se disaient avec étonnement que Socrate était là, rêvant depuis le matin. Vers le soir, les soldats apportèrent leurs lits de camp à l'endroit où il se trouvait, afin de coucher au frais (on était alors en été) et d'observer s'il passerait la nuit dans la même attitude. En effet, il continua à se tenir debout jusqu'au lever du soleil. Alors, après avoir fait sa prière au soleil, il se retira » (220 c-d).

La relation de Socrate avec son *daïmon* est évidemment bien embarrassante pour certains historiens de la philosophie qui font de lui le père du rationalisme occidental. On tente alors de réduire le fameux *daïmon* à la voix de la conscience, et on parle des extases de Socrate comme de crises d'épilepsie. Ainsi qu'on vient de le voir, ce n'est pas ce que disent les biographes de Socrate, visiblement eux-mêmes troublés par cet étrange phénomène que l'on retrouve pourtant de manière courante chez les chamanes des traditions premières, ou chez les mystiques de toutes les religions quand ils se sentent soudain possédés par la divinité et entrent, de ce fait, dans des états extatiques. Quoi qu'il en soit, que l'on croie ou non aux esprits et aux forces surnaturelles, il est évident que

Socrate s'est présenté et a été perçu par ses disciples à la fois comme un philosophe qui s'appuie sur la raison et comme un mystique qui se sent connecté à une force supérieure.

5

Personnalité

Apparence physique

Le Bouddha, Socrate et Jésus sont aisément identifiables. Une convention figurative s'est en effet imposée pour les représenter, de sorte que chacun peut facilement les reconnaître dans telle ou telle représentation. Concernant le Bouddha et Jésus, il est manifeste, au regard des éléments historiques dont nous disposons, que ce ne sont pas leurs traits réels qui ont été et sont encore représentés, mais des traits idéalisés, projections d'un archétype de maître forgé dans l'esprit de ceux qui se sont revendiqués de leurs enseignements. Les traits de l'un et de l'autre varient d'ailleurs parfois selon les cultures et les époques. Jésus était de type sémite méditerranéen, mais rien ne nous est dit de son apparence physique dans les Écritures chrétiennes. Du coup, il est représenté assez diversement : tantôt blond, tantôt brun ; tantôt imberbe, tantôt barbu ; tantôt doux, tantôt sévère. Il en va de même pour le Bouddha, qui était indien, mais dont, faute de description physique précise dans les textes les plus anciens, les apparences n'ont cessé de varier au gré des cultures que le bouddhisme a investies au cours de son histoire. Il existe ainsi des Bouddha aux traits indiens, chinois, japonais, grecs (art du Gandhara), birmans, etc. S'il n'est presque jamais représenté comme un ascète maigre, il n'est pas non plus toujours aussi enrobé que dans un certain nombre de figures traditionnelles. En fait, seul Socrate a été parfaitement bien décrit par ses disciples. Et ce qu'ils en ont retenu de manière unanime est assez singulier : il était laid, terriblement laid !

On peut s'étonner de l'insistance des proches de Socrate à décrire sa laideur dans une Grèce où le culte de la beauté va jusqu'à considérer la laideur comme une tare morale. Certains physionomistes parmi ses contemporains se pencheront d'ailleurs sur son cas pour déceler en lui les signes de l'intempérance et du vice. Au Ier siècle avant notre ère, Cicéron rappelle les grandes lignes de ce véritable procès pour délit de faciès qui fut fait en son temps à Socrate : « Ne savons-nous pas le jugement que porta un jour de Socrate le physionomiste Zopyre, qui faisait profession de connaître le tempérament et le caractère des hommes à la seule inspection du corps, des yeux, du visage, du front ? Il déclara que Socrate était un sot et un niais, parce qu'il n'avait pas la gorge concave, parce que tous ses organes étaient fermés et bouchés ; il ajouta même que Socrate était adonné aux femmes ; ce qui, nous dit-on, fit rire Alcibiade aux éclats » (*Du destin*, 5, 10).

Chacun des traits de Socrate est largement détaillé dans les écrits qui lui sont consacrés. Son nez, y lit-on, est large, épaté : « Sans t'offenser, loin d'être beau, il te ressemble avec son nez relevé comme le tien, et ses yeux sortant de la tête, excepté pourtant qu'en lui tout cela est moins marqué que chez toi », lui dit Théodore, dans le *Théétète* de Platon, pour décrire le jeune Athénien qu'il a distingué parmi tous les autres (143e). Dans son *Banquet*, Xénophon laisse Socrate défendre son nez camus devant Critobule, avec lequel il est en compétition pour un concours de beauté : « S'il est vrai que les dieux nous aient fait le nez pour sentir ; car tes narines à toi regardent vers la terre, tandis que les miennes sont retroussées pour recevoir les odeurs de tous les côtés » (5, 6). Autre élément de disgrâce : les lèvres particulièrement épaisses du philosophe, qui rétorque à un Critobule se moquant de lui : « À t'entendre, dit Socrate, on croirait que ma bouche est plus hideuse que celle des ânes » (5, 7). Sans oublier les yeux, des « yeux d'écrevisse » plantés « à fleur de tête », jusqu'à lui permettre de « voir de côté » (*Banquet*, 5, 5). À ce tableau, Xénophon ajoute un « ventre proéminent » et un aspect trapu avec « des jambes et des épaules si égales en poids » (*Banquet*, 2, 19-20). Platon, lui, reconnaît à son maître un « regard de taureau » au-delà duquel ceux qui le connaissent savent voir l'homme (*Phédon*, 117b). Xénophon et Platon se rejoignent pour comparer leur maître à un Silène, ce démon hybride de la mythologie grecque, moitié animal, moitié humain.

La laideur de Socrate n'est-elle pas en définitive qu'un masque cachant une beauté intérieure incomparable ? C'est ce qu'affirme Alcibiade, le jeune homme éperdu d'amour pour le philosophe : « Il a bien l'extérieur que les statuaires donnent à Silène. Mais ouvrez-le, mes chers convives ; quels trésors ne trouverez-vous pas en lui ! Sachez que la beauté d'un homme est pour lui l'objet le plus indifférent » (*Banquet*, 216e). Socrate le relève d'ailleurs dans sa réponse au même Alcibiade : « Tu as découvert en moi une beauté merveilleuse et bien au-dessus de la tienne. À ce compte, en voulant t'unir à moi et échanger ta beauté contre la mienne, tu m'as l'air d'entendre fort bien tes intérêts, puisqu'au lieu de l'apparence du beau tu veux acquérir la réalité et me donner du cuivre contre de l'or » (*Banquet*, 219e).

Ce Socrate si laid en apparence dégage donc une incroyable aura. Alcibiade admet que ce n'est pas l'apparence extérieure du maître qui l'a attiré, mais une magie émanant de lui, semblable à la musique que joue le satyre Marsyas, à une différence près : Socrate n'use pas d'un instrument pour charmer, il se contente de « simples discours » dont l'écoute suffit pour que « tous les auditeurs, hommes, femmes, adolescents, soient saisis et transportés » (*Banquet* 215 c-d). Et de décliner ainsi cet effet : « Quand je l'entends, le cœur me bat avec plus de violence qu'aux corybantes ; ses paroles me font verser des larmes, et je vois un grand nombre d'auditeurs éprouver les mêmes émotions. En entendant Périclès et nos autres grands orateurs, je les ai trouvés éloquents, mais ils ne m'ont fait éprouver rien de semblable. Mon âme n'était point troublée, elle ne s'indignait point contre elle-même de son esclavage. Mais, en écoutant ce Marsyas, la vie que je mène m'a souvent paru insupportable » (*Banquet*, 215e, 216a). Il est tout à fait probable que les disciples de Bouddha et de Jésus éprouvaient le même sentiment en écoutant les discours de leur maître.

À côté des descriptions détaillées de la laideur de Socrate, l'absence d'informations sur l'apparence physique réelle du Bouddha est patente, accentuée par la prégnance des données légendaires sur les éléments objectifs. De Siddhârta, le *Sutta Nipata*, un texte du premier canon pali, affirme qu'il était « un noble d'une grande beauté, capable de diriger une armée d'hommes ou une troupe d'éléphants » (3, 1). Il portait dans sa jeunesse de longs cheveux, qu'il coupera net à l'aide de sa dague le jour où il décidera de quitter le palais de son père pour poursuivre sa quête auprès des ascètes des forêts. Les textes insistent également sur ses six années de privations sévères auprès des cinq ascètes rencontrés dans le bois d'Uruvela, qui se traduiront par un affaiblissement de son état de santé. Son amaigrissement sera tel qu'il ne lui restera plus que la peau et les os, une peau desséchée et ridée, y compris sur le crâne, fripé comme une vieille gourde molle séchée au soleil. Mais, dès lors qu'il abandonnera ces pratiques extrêmes, il recouvrera, disent ces mêmes textes, sa vitalité antérieure et son apparence robuste. Cependant, dans la période qui suit l'Éveil, toute description du personnage apparaît superflue aux écoles bouddhistes dans la mesure où Siddhârta Gautama représente désormais un archétype, celui du Bouddha, et porte les caractéristiques de tous les « bouddhas omniscients » qui l'ont précédé. La seule digression que s'autorisent les biographes concerne l'extrême propreté du personnage, sur laquelle ils sont unanimes à insister : ainsi se lave-t-il les pieds à chaque fois qu'il revient de l'extérieur, et se baigne-t-il le reste du corps très régulièrement ; de même, il parfume sa chambre avec une délicate senteur de lotus quand il se couche pour sa sieste. Mais on ne trouvera aucune allusion à sa corpulence, à sa taille, à la forme de son nez ou à celle de ses yeux. Si sa peau, dit la tradition, est « dorée », c'est parce que cette couleur participe des trente-deux caractéristiques propres aux bouddhas, au même titre que les pieds plats, les talons saillants, les doigts et les orteils allongés, la langue très longue, la bouche taillée en un petit sourire permanent, les mâchoires garnies de quarante dents à l'implantation parfaite, dont quatre canines brillantes, les beaux yeux bruns, la poitrine large et gonflée, les mollets parfaitement cylindriques, la voix agréable à entendre. Faut-il voir dans ce refus de décrire le personnage réel l'obéissance à une injonction du Bouddha, soucieux d'éviter un culte de sa personnalité ? Ou bien, à l'inverse, une sorte de divinisation du personnage ? De fait, cet homme est très vite présenté non pas comme un individu singulier, mais comme l'archétype du surhomme, quasi déifié par l'école Mahayana. D'ailleurs, dès qu'il accède à l'Éveil, les textes bouddhiques ne le nomment plus que par son titre, le Bouddha – un titre, faut-il le rappeler, porté par tous les bouddhas qui l'ont précédé et par ceux qui lui succéderont.

Le même refus d'une description physique réaliste se retrouve chez les premiers témoins de la vie de Jésus. La seule allusion des évangélistes à son physique intervient pour décrire l'enfant qu'il était, qui « grandissait, se fortifiait » (Luc, 2, 40) et « croissait en sagesse, en taille et en grâce devant Dieu et devant les hommes » (Luc, 2, 52). De l'adulte, il n'est dit nulle part s'il était beau ou laid, grand ou petit, imberbe ou barbu. En revanche, les Pères de l'Église, qui tenteront de reconnaître dans les prophéties de l'Ancien Testament l'annonce de l'avènement du Christ, n'hésiteront pas à décrire Jésus en y puisant leur inspiration. Commentant la première lettre de Jean, saint Augustin placera en vis-à-vis ces deux passages fort contradictoires : l'un chantant « le plus beau des enfants des hommes » (psaume 45, 3), que la tradition a appliqué à Jésus ; et le second, celui du quatrième chant du « Serviteur souffrant », qui était « sans beauté ni éclat pour attirer nos regards, et sans apparence qui nous eût séduits ; objet de mépris, abandonné des hommes, homme de douleur… » (Isaïe, 53, 2-3).

Traits de caractère

Quels étaient les traits marquants du caractère de Socrate ? La tradition rapporte un curieux mélange de maîtrise de soi et de violents accès de colère. C'est en tout cas ce que raconte le philosophe Aristoxène de Tarente, lui-même élève d'Aristote, et dont le père, Spintharos, fut un proche de Socrate. Aristoxène est l'auteur de plus de quatre cents traités, dont des vies de Socrate et de Platon, mais la quasi-totalité de son œuvre a été malheureusement perdue. C'est sur la base de ses écrits qu'au IIIe siècle, dans son *Histoire des philosophes,* Porphyre de Tyr dira au sujet du maître : « Nul n'était plus persuasif grâce à sa parole, au caractère qui paraissait sur sa physionomie, et, pour tout dire, à tout ce que sa personne avait de particulier, mais seulement tant qu'il n'était pas en colère. Lorsque cette passion le brûlait, sa laideur était épouvantable ; nul mot, nul acte dont il s'abstînt alors[1]. » Diogène Laërce, dans ses *Vies et doctrines des philosophes illustres*, décrivant les discussions de Socrate « dans les boutiques et sur la place publique », rapporte, citant un dénommé Démétrios : « Souvent, au cours de ses recherches, il discutait avec véhémence, lançait les poings en avant, ou s'arrachait les cheveux, ne se souciant aucunement des rires qu'il soulevait, les supportant au contraire avec calme. Un jour, même, il reçut un coup de pied sans se fâcher, et comme on s'en étonnait, il dit : "Si c'était un âne qui m'avait frappé, lui intenterais-je un procès ?" » Diogène Laërce affirme aussi que, à ceux qui lui rapportaient des propos injurieux tenus par telle ou telle personne à son égard, Socrate se contentait de répondre froidement : « Mais non, ce qu'il dit ne se rapporte pas à moi. » Les écrits de Platon laissent entendre que le maître aurait été souvent prémuni contre les mouvements d'humeur par son ironie, qui avait le pouvoir de mettre les autres en colère – y compris ses juges : excédés de ses traits d'esprit, ils finiront pas le condamner à mort. Dans l'*Euthyphron* (ou *Sur la piété*), qui fait partie des premiers dialogues de Platon, rédigé dans les années qui ont suivi la mort de Socrate, celui-ci énumère les raisons qui peuvent pousser un individu, ou même un dieu, à se mettre en colère : « Sur quels sujets de dispute, faute de disposer d'un critère de décision,

1. Cité par Émile Bréhier dans *Histoire de la philosophie*, première édition, Félix Alcan, 1928, p. 70.

serions-nous gagnés par la haine et la colère ? [...] Est-ce que ce n'est pas sur le juste et l'injuste, le beau et le laid, le bien et le mal ? Est-ce que, quand on devient haineux, toi, moi et tous les hommes, ce n'est pas sur ces sujets de dispute, où l'on ne peut recourir à aucun critère de décision suffisant ? » demande-t-il à son interlocuteur qui l'interroge à propos des dieux.

Ce ne sont pas le mépris ni la haine qui exaspèrent Socrate. La peur non plus n'a aucun effet sur lui : au moment d'avaler la ciguë, tandis que ses amis refrènent difficilement leurs larmes, il leur lance en souriant : « Amis, pourquoi pleurer ? Prions les dieux qu'ils veillent au voyage. » Il est d'ailleurs particulièrement courageux : c'est avec sang-froid qu'au cours d'une bataille, tandis que les autres soldats s'enfuyaient, il a bravé le danger pour aider le jeune Alcibiade, qui narre ainsi l'épisode : « Ce fut lui qui me sauva la vie. Me voyant blessé, il ne voulut jamais m'abandonner et me préserva, moi et mes armes, de tomber entre les mains des ennemis » (*Le Banquet*, 220e). En fait, seule l'ignorance et la stupidité semblent avoir le pouvoir de briser la carapace de Socrate et de lui faire perdre son sang-froid. Avec Phèdre, il frémit à l'idée des « discours stupides » que profèrent certains. Dans *Le Banquet* de Platon, il entreprend à sa manière de déconstruire les discours qui se succèdent autour de l'amour, et ne dissimule pas son agacement.

Autant que pour son apparence physique, les textes bouddhistes abordent très peu – et, si c'est le cas, avec beaucoup de précautions – les aspérités de la personnalité du Bouddha : ayant atteint la paix et dépassé ses passions, celui-ci ne peut plus, selon la définition bouddhiste de l'Éveil, être sujet à des emballements ou atteint par les souffrances de la vie. Ainsi, on ne lui connaît pas de plaisirs ni d'indignations, si ce n'est avant son Éveil : amertume des plaisirs des sens qu'il goûte à contre-cœur dans le palais de son père ; attachement à son fils ; déceptions quand, au cours de ses premières années de quête, il avoue aux renonçants qu'il rencontre successivement : « Je suis déçu des expériences que je viens de réaliser auprès de vous. » Ce sont là à peu près ses seuls sentiments ou émotions connues. Dès lors qu'il entame sa carrière de prédicateur, le canon et les biographies bouddhistes s'attachent à présenter un individu doté d'une parfaite maîtrise de soi, serein en toutes circonstances, n'exprimant aucune préférence, aucun désir, aucun souhait, aucune aversion, aucun attachement, aucune émotion. Face à cette totale impassibilité, le Bouddha se verra souvent interroger sur son statut : est-il un humain ou un *deva* ? Sa réponse est invariable : il est « un être qui s'est éveillé » au point que le monde dans lequel il est né ne le touche plus (*Anguttara Nikaya*, 4, 36). Il se décrit volontiers, dans les textes, comme un lotus rouge qui, né dans l'eau, s'élève et cesse de la toucher ; de la même manière, lui-même est né dans ce monde, mais il s'en est élevé, et celui-ci a cessé de le toucher. Parce qu'il a accédé à la Connaissance, le Bouddha a fatalement rompu toutes les chaînes et toutes les attaches. Il est le « Tathagata », l'homme qui s'en est allé.

Nous verrons plus en détail, dans la deuxième partie de ce livre, que, lors de son premier sermon prononcé à Sarnath, le parc des Gazelles, situé non loin de Bénarès, il énonce les « quatre nobles vérités » résumant sa doctrine et qui tiennent en quatre phrases lapidaires construites autour du mot *dhukka,* qui désigne la souffrance dans toutes ses nuances, psychologiques et philosophiques. La vie, dit-il, est *dhukka.* L'origine de la *dhukka* est la soif, le désir. Il existe un moyen de supprimer cette soif, et donc la *dhukka* ; ce moyen, c'est le noble chemin octuple, ou chemin aux huit éléments justes. Les malheurs, les désirs, les passions, doivent dès lors être observés comme des éléments extérieurs qui ne sont plus source de violence émotionnelle. Seul le « chemin du Milieu », celui qu'il prône, conduit à la paix.

De fait, on ne connaît pas de larmes ni d'éclats de rire du Bouddha, on ne sait rien de ses plaisirs ni de ses répugnances, aucune anecdote ne rapporte ses joies ni ses impatiences. On le sait compassionnel, bienveillant, mais ses gestes de compassion n'interviennent pas en réaction à un sentiment ou à une émotion. Le Bouddha s'observe en pleine conscience et insiste sur le caractère transitoire de toute chose, ce qui explique certainement son détachement vis-à-vis de toute chose. Il n'aura de cesse de dire à ceux qui suivent ses enseignements : n'ayez de haine ni d'amour pour rien ni personne. À en croire la lecture des textes les plus anciens du canon bouddhiste, il semblerait que le Bouddha soit ainsi dénué de tout sentiment. On ne sait pas, par exemple, s'il ressentait une affection particulière pour Ananda, son cousin devenu moine, élu parmi tous les autres pour devenir son confident, son auxiliaire et son plus proche compagnon jusqu'à sa mort. Les textes ne disent pas non plus ce qu'il a éprouvé au moment de la conversion de son père, et surtout de son fils, le petit Rahula, ordonné à l'âge de sept ans. Ils se contentent de mentionner ces événements de manière totalement factuelle, sans donner aucun relief psychologique aux personnages concernés : sont-ils heureux ? tristes ? émus ? désabusés ? Le champ lexical du canon bouddhiste n'inclut jamais la description des sentiments et des émotions.

Voilà qui constitue une différence saisissante avec les Évangiles, où les descriptions du ressenti des personnages, même les plus secondaires, ainsi que la mise en scène des dialogues occupent une place importante. Si les Évangiles sont muets sur l'apparence physique de Jésus, ils sont en revanche fort prolixes sur son caractère. Et ils ne cherchent pas à donner de lui une image surhumaine. Jésus apparaît bien au contraire comme pleinement humain, avec sa sensibilité, ses luttes, ses émotions, ses sentiments. On découvre par exemple un homme capable d'être « bouleversé d'une émotion profonde » quand il voit Marthe pleurer la mort de son frère Lazare. Lui-même, face à cette femme en pleurs, « frémit », « pleura », puis frémit à nouveau (Jean, 11, 32-43). Et le mot grec utilisé par l'évangéliste pour parler de la puissance des larmes de Jésus n'est pas faible : c'est le même qu'utilisent certains historiens de l'Antiquité pour parler des inondations du Nil ! Jésus n'a pas eu l'œil humide : il a versé toutes les larmes de son corps. Il faut dire que Lazare n'est pas pour lui un inconnu : « Celui que tu aimes est malade », lui avaient dit ses proches avant qu'il ne se rende aux côtés de Marthe (Jean, 11, 3). Jésus aimait son ami Lazare, et l'annonce de sa mort le bouleverse.

Dans les Évangiles, de nombreuses occurrences le désignent comme un individu qui « a pitié » et sait « réconforter ». Lui-même se définit comme « doux et humble de cœur » (Matthieu, 11, 29). Ses gestes de compassion, fort nombreux, envers les humbles, les pécheurs, les parias, les femmes, les enfants, sont souvent décrits comme la manifestation d'un sentiment profond, et pas simplement comme la froide application d'un principe moral. Avec la Samaritaine, cette « hérétique », il fait preuve d'une douceur dont elle-même ne revient pas : « Comment ! toi qui es juif, tu me demandes à boire moi qui suis une femme samaritaine ? » (Jean, 4, 9).

Mais ses colères aussi sont fréquentes. Il est fortement courroucé lorsqu'un pharisien, l'ayant invité à sa table, s'étonne qu'il ne procède pas d'abord à ses ablutions. Sans plus mettre les formes en présence de son hôte, il s'enflamme, et son discours va crescendo : « Insensés ! lance-t-il en incluant dans son propos tous les pharisiens. L'extérieur de la coupe et du plat, vous le purifiez, alors que votre intérieur est plein de rapine et de méchanceté ! » Et de les maudire à trois reprises : « Malheur à vous ! » À ce moment, l'un des convives, un légiste irrité par ses propos, fait remarquer à Jésus que de telles paroles constituent un outrage collectif à l'égard des représentants de la religion. La réponse de Jésus est tout aussi cinglante : « À vous aussi, les légistes, malheur, parce que vous chargez les gens de fardeaux impossibles à porter, et vous-mêmes ne touchez à ces fardeaux d'un seul de vos doigts ! » Et prophétisant la colère de Dieu sur ceux qui ont répandu le sang des prophètes depuis Abel jusqu'à Zacharie, il ajoute : « Oui, je vous le dis, il en sera demandé compte à cette génération. » Une fois cette parole prononcée, il quitte la table du pharisien, qui, précise l'Évangile de Luc, se mit, ainsi que les scribes et les autres pharisiens présents, à « lui en vouloir terriblement » (Luc, 11, 37-53).

Jésus dit à ses disciples qu'il convient d'entrer dans une maison en disant : « Paix à cette maison. » Mais gare à ceux qui n'accueillent pas ses envoyés ! Contre ceux-là, il déchaîne son courroux : « Même la poussière de votre ville qui s'est collée à nos pieds, nous l'essuyons pour vous la laisser. » Et il se révèle capable de maudire toute une ville, Capharnaüm, qui descendra jusqu'au séjour des morts parce qu'elle n'a pas su l'accueillir (Luc, 10, 11-15). Jésus se met aussi en colère face aux fidèles de la synagogue qui lui reprochent de vouloir guérir un homme le jour du shabbat : Il promène « sur eux un regard de colère, navré de l'endurcissement de leur cœur », avant de guérir l'homme (Marc, 3, 5). On connaît surtout son coup de sang au Temple à la vue des marchands, quand il s'en prend physiquement à eux : « Se faisant un fouet de cordes, il les chassa tous du Temple, et les brebis et les bœufs ; il répandit la monnaie des changeurs et renversa leurs tables » (Jean, 2, 15).

Si les colères de Socrate se manifestaient face au refus ou au détournement de la connaissance, les colères de Jésus, elles, sont provoquées par le dévoiement de la religion : l'hypocrisie et l'abus de pouvoir des clercs, le légalisme, le business religieux. Mais l'un comme l'autre expriment par ces colères la passion qui les anime : la recherche rationnelle du vrai pour le philosophe, la vérité du culte rendu à Dieu pour le prophète. Leurs colères ne sont pas une faiblesse de la raison, mais l'expression d'une force intérieure qui est la force d'indignation.

Un autre aspect de la profonde sensibilité de Jésus se perçoit lorsqu'il admet avoir « l'âme troublée » quand il annonce sa passion à Philippe et André, et qu'il lance à Dieu ce cri angoissé : « Père, sauve-moi de cette heure ! » (Jean, 12, 27). Il est profondément troublé lorsqu'il affirme aux Douze qu'avant le chant du coq l'un d'entre eux le livrera (Jean, 13, 21). Au mont des Oliviers, juste avant son arrestation, Jésus prie intensément pour atteindre la paix intérieure, mais en vain, si l'on en croit la suite du récit : « Sa sueur devint comme de grosses gouttes de sang qui tombaient à terre » (Luc, 22, 43-44). Mais les Évangiles parlent aussi de la joie intense qui envahit son cœur à certains moments : « À cette heure même, il tressaillit de joie sous l'action de l'Esprit-Saint et il dit : "Je te bénis, Père, Seigneur du ciel et de la terre, d'avoir caché cela aux sages et aux intelligents et de l'avoir révélé aux tout-petits" » (Luc, 10, 21).

J'ai toujours été frappé du contraste entre le Bouddha et Jésus sur cette question de leur sensibilité. Alors que la tradition bouddhiste a toujours affirmé que Siddhârta n'était qu'un homme, elle a laissé de lui une image lisse, impassible, surhumaine et donc presque inhumaine. À l'inverse, alors que la tradition chrétienne a fait de Jésus un être surnaturel, à la fois Dieu et homme, les Évangiles le montrent comme un être profondément humain qui éprouve – parfois jusqu'aux larmes – des émotions telles que la tristesse et la joie, la lassitude et l'élan, la compassion et la colère. Saisissant paradoxe !

6

Une vie en mouvement

Il existe de fortes convergences entre les modes de vie de Socrate, de Jésus et du Bouddha. Tous trois étaient de grands marcheurs et tous trois ont fui les honneurs et les richesses. Au confort et à la stabilité, ils ont préféré l'indépendance et le mouvement ; plutôt que la douceur d'un foyer, ils ont choisi la rudesse des routes. Socrate aurait pu mener une existence de notable, siéger dans les instances officielles de sa cité, enseigner sans pour autant tout sacrifier à son enseignement : il a préféré arpenter les rues d'Athènes, pauvre, mal vêtu et mal vu. Le Bouddha et Jésus, eux, ont poussé cette logique à l'extrême, optant pour une vie « sans domicile fixe ». Et c'est dans cette indépendance extrême, dans cette absence totale d'attaches, qu'ils ont puisé leur immense liberté.

Marcheurs infatigables

Siddhârta fut certainement le plus endurant des trois, si l'on en juge par le nombre de kilomètres qu'il a parcourus à travers la vaste plaine du Gange, du royaume de Kosala, dans l'actuel Népal, à celui du Magadha, dans le nord de l'Inde contemporaine, en passant par les petits royaumes adjacents. À côté de ces prouesses de grand marcheur, Socrate, qui n'a quasiment jamais quitté la ville d'Athènes, et Jésus, dont l'essentiel de la prédiction a eu pour théâtre les bourgades de la minuscule province de Galilée, avec une montée à Jérusalem, font pâle figure. La marche du Bouddha fut également la plus longue dans le temps : elle a duré quarante-cinq ans à partir de son Éveil. Les Écritures canoniques décrivent les cinq premières années de cette mission, mais rapportent bien peu d'anecdotes relatives aux quarante suivantes, et elles se taisent complètement sur les vingt dernières années. Si les sermons de l'Éveillé sont consignés dans le canon bouddhiste ancien, leur contexte et les circonstances qui les ont entourés ne sont cependant décrits que dans des biographies plus tardives.

Dans les premiers temps, la marche du Bouddha fut ininterrompue. Entouré de ses premiers disciples, assez vite rejoints par d'autres fidèles, moines et laïcs, il ne dispose d'aucun point d'ancrage. Avec les siens, il dort là où il peut : « Dans la forêt, au pied des arbres, sous des saillies rocheuses, dans des ravins, des grottes, des cimetières, des futaies, à ciel ouvert, sur de la paille », précise le *Vinaya Cullavagga* (6, 4). La vie de la communauté s'organise autour du maître selon un rituel qui perdurera : au réveil, bien avant l'aube, une méditation suivie d'enseignements, puis la collecte d'aumônes dans le village ou la ville les plus proches, en silence, les yeux tournés vers le sol, suivie de l'unique repas de la journée, à même le sol, sous un arbre ou au bord d'un chemin, comme faisaient tous les ascètes dans l'Inde de l'époque. Le *sangha*, la communauté, reprend la route en posant ses questions au maître, qui, au fil de ses réponses inspirées par les cas concrets qui lui sont présentés, édicte le *vinaya*, ou règles de la vie monastique, et explique pour chacune les détails de son application, ultérieurement consignés dans le canon.

Un élément extérieur contraint cependant le Bouddha à stopper quelques mois par an cette incessante pérégrination : ce sont les conditions climatiques propres aux zones tropicales, avec une période de mousson marquée par des pluies très fortes qui revigorent, pendant deux ou trois mois, une nature assoiffée, et lui offrent une brusque explosion de vitalité. Dès les premières pluies, de délicates pousses vertes émergent de la terre aride, une vie animale que l'on croyait éteinte commence aussitôt à grouiller. Or le groupe mené par le Bouddha commence à être suffisamment étoffé pour que des plaintes émanent de petits agriculteurs, puis de grands propriétaires terriens, qui lui reprochent de saccager, par sa marche, les terres agricoles et en particulier les rizières. Sollicité par le roi Bimbisara du Rajagaha, le Bouddha reconnaît immédiatement son tort, ainsi qu'il est dit dans le *Vinaya Mahavagga* (3, 1). Il modifie alors le fonctionnement de sa communauté : il se pose avec les siens dans un *kuti*, littéralement une « demeure des ermites » que lui fait édifier le riche Nandiya dans la forêt de Migadavana. Dès lors, trois mois par an, durant la mousson, les moines font halte pour une retraite en un lieu déterminé, et les premières règles monastiques sont adoptées, exigeant notamment d'eux qu'ils limitent les contacts avec les autres ascètes. Entre deux séjours imposés par la période de la mousson, les moines reprennent la route pour diffuser les enseignements de leur maître à travers la vallée du Gange. Car le Bouddha leur a très tôt accordé la prérogative d'enseigner le dharma, mais aussi d'intégrer par eux-mêmes dans le *sangha* ceux qui souhaitent devenir moines à leur tour.

Le Bouddha prend aussi l'habitude de rendre des visites régulières aux différentes communautés qui ont essaimé à travers la vallée du Gange. Durant toute sa vie d'itinérance, il ira de l'une à l'autre, s'assurant de l'harmonie et du respect des règles, réitérant ses enseignements, apportant de nouveaux éclairages puisés dans son expérience et dans celle de ses compagnons. Afin de maintenir une certaine cohésion entre ces communautés, il instaure le principe d'une rencontre, une fois tous les six ans, à laquelle tous les moines participent obligatoirement pour réciter le *patimokkha*, littéralement le lien, c'est-à-dire les règles de conduite monastiques – deux cent vingt-sept règles progressivement élaborées et énumérées dans le *Sutta Vibhanga*. Jusqu'à la fin de ses jours, le Bouddha poursuivra sa marche, parcourant avec ses disciples villes et villages de la plaine du Gange pour transmettre le dharma « aux dieux, aux hommes et aux animaux », selon la formule usitée dans la tradition bouddhiste.

La marche de Socrate est beaucoup plus limitée que celle du Bouddha. Pourtant, il a lui aussi beaucoup marché, mais presque exclusivement dans Athènes. À vrai dire, Socrate est un flâneur impénitent plutôt qu'un grand marcheur. Il se promène dans les rues et sur les places publiques, à la recherche de nouveaux interlocuteurs avec lesquels il entame de longues causeries. Il reconnaît volontiers que telle est sa principale occupation, à laquelle il dédie le tiers de sa vie : « Je parlerai à tous ceux que je rencontrerai, jeunes et vieux, concitoyens et étrangers, mais plutôt à vous, Athéniens, parce que vous me touchez de plus près ; et sachez que c'est là ce que le dieu m'ordonne, et je suis persuadé qu'il ne peut y avoir rien de plus avantageux à la république que mon zèle à remplir l'ordre du dieu. Car toute mon occupation est de vous persuader » (Platon, *Apologie de Socrate*, 30a). Comme le Bouddha et Jésus, Socrate s'en va rarement seul. Il est plus fréquemment entouré de disciples, essentiellement des jeunes gens qui voient en lui, plus qu'un maître à penser, une source d'imitation. Il décrit ainsi à ses accusateurs ce groupe qui l'entoure et qu'il est soupçonné de vouloir débaucher : « Beaucoup de jeunes gens, qui ont du loisir et qui appartiennent à de riches familles, s'attachent à moi et prennent un grand plaisir à voir de quelle manière j'éprouve les hommes ; eux-mêmes ensuite tâchent de m'imiter, et se mettent à éprouver ceux qu'ils rencontrent ; et je ne doute pas qu'ils ne trouvent une abondante moisson » (*Apologie de Socrate*, 23c). Ils apprennent en l'écoutant, mais ils ne forment pas à proprement parler une communauté ; et de son vivant Socrate ne déléguera explicitement à aucun d'entre eux sa mission d'accoucheur.

Alcibiade décrit l'exceptionnelle résistance physique de Socrate pendant la guerre : « Je m'y trouvais à cheval, et lui à pied pesamment armé », raconte-t-il (*Apologie de*

Socrate, 221a). Et de poursuivre : « Là, je voyais Socrate l'emporter non seulement sur moi, mais sur tous les autres, par sa patience à supporter les fatigues [...]. L'hiver est très rigoureux dans ce pays-là, et la manière dont Socrate résistait au froid allait jusqu'au prodige. Dans le temps de la plus forte gelée, quand personne n'osait sortir, ou du moins ne sortait que bien vêtu, bien chaussé, les pieds enveloppés de feutre et de peaux d'agneaux, lui ne laissait pas d'aller et de venir avec le même manteau qu'il avait coutume de porter, et il marchait pieds nus sur la glace beaucoup plus aisément que nous qui étions bien chaussés ; c'est au point que les soldats le voyaient de mauvais œil, croyant qu'il voulait les braver. Tel fut Socrate à l'armée » (*Le Banquet*, 220a-b). Cinq ans avant sa mort, vers 404 avant notre ère, la tyrannie des Trente lui interdit d'enseigner, et même de parler aux jeunes gens. Il cesse alors d'arpenter la ville, mais refuse l'exil. Car Socrate est profondément attaché à sa cité, dont il se veut le fils fidèle, respectueux de ses lois malgré ses critiques contre les dirigeants.

La marche de Jésus est encore différente. Si elle passe par le désert, elle s'arrête essentiellement dans les petites bourgades où le prophète itinérant pratique exorcismes et guérisons, prêche amour et non-violence, et traverse les campagnes où les garrigues méditerranéennes alternent avec les terres fertiles plantées de vignes, de blé, d'arbres fruitiers. Il préfère Capharnaüm ou Chorozaïn, que l'on appellerait aujourd'hui des hameaux, à Tibériade ou Sepphoris, qui sont des bourgs plus importants. L'évangéliste Jean lui fait traverser d'autres petites localités hors des frontières de la Galilée, qui ne sont pas citées par les trois Évangiles synoptiques : la Samarie, Cana et Tyr, la rive orientale du lac de Tibériade. Seule exception à son attrait pour les villages ruraux : Jérusalem, capitale de Judée, où Jésus se rend pour les grandes fêtes. C'est là, en effet, autour du Temple, qu'à ces occasions affluent les juifs de la diaspora. Et c'est donc à Jérusalem qu'il peut toucher la plus large audience. Le point commun entre ces bourgades est qu'elles sont toutes juives. Jésus ne s'intéresse pas aux implantations romaines, ni aux grandes villes cosmopolites. D'ailleurs, la plupart de ses interlocuteurs sont juifs, à quelques exceptions près, comme le centurion romain de Capharnaüm ou la femme samaritaine.

Il s'adresse plus volontiers au petit peuple, aux paysans, aux pêcheurs, même s'il s'arrête parfois dans des synagogues pour y enseigner, et chez des notables pour se nourrir. Il vit son itinérance comme un commandement divin : « Aux autres villes aussi il me faut annoncer la Bonne Nouvelle du Royaume de Dieu, car c'est pour cela que j'ai été envoyé », explique-t-il en quittant Capharnaüm (Luc, 4, 43). Contrairement au Bouddha, il ne crée pas une communauté monastique dotée de règles. Il s'emploie plutôt à relativiser les règles en usage dans l'orthodoxie juive, notamment celles ayant trait au shabbat ou à la pureté rituelle. Il n'installe pas de rites – si ce n'est celui de la Cène, à la veille de la Crucifixion –, ni de rythme de vie à la manière du Bouddha. Ses itinéraires, comme ceux de Socrate, sont ouverts : il se laisse entraîner au gré des appels, du hasard, des invitations qui lui sont adressées.

Socrate vit certes pauvrement, il s'en va pieds nus et misérablement vêtu, il n'exerce aucun métier, mais il revendique des points d'ancrage, des proches, une famille, une maison : « Je ne suis point né d'un chêne ou d'un rocher, mais d'un homme. J'ai des parents ; et pour des enfants j'en ai trois, l'un déjà dans l'adolescence, les deux autres encore en bas âge », lance-t-il à ses accusateurs qui multiplient les soupçons de débauche à son encontre (*Apologie de Socrate*, 34d). Le Bouddha, lui, a rompu les attaches avec les siens – ceux d'entre eux, y compris son fils, qu'il recevra comme disciples ne seront en aucun cas privilégiés au sein du *sangha* –, mais il s'est créé de nouveaux points d'ancrage là où ses communautés ont élu domicile. Jésus, quant à lui, n'élira jamais domicile nulle part. Sa rupture avec sa propre famille est radicale : « Qui est ma mère ? et mes frères ? » répond-il quand il apprend que ces derniers le cherchent. Et quand on le prévient que ceux-ci l'attendent, il désigne ceux qui sont assis autour de lui : « Voici ma mère et mes frères » (Marc, 3, 31-34).

Le dédain des richesses

Autre point commun entre nos trois personnages : un profond détachement vis-à-vis des biens matériels, voire un certain dédain à l'égard de l'argent. Siddhârta, on l'a vu, est né fils de prince et a vécu ses trente premières années dans la prospérité. Sa quête spirituelle a commencé par une rupture avec tous les biens matériels : dans la forêt où il se fait conduire par son cocher, il abandonne à celui-ci sa monture et même son manteau pour vaquer à la manière des ascètes, avec pour tout bien une robe et un bol destiné à recevoir les maigres aumônes qui lui sont faites uniquement sous forme de nourriture. Aux premiers disciples qui le suivent, les premiers « renonçants », il demande de tout abandonner : leurs seuls biens seront désormais trois robes (de manière à pouvoir se changer), une passoire, une ceinture et un bol ; leur statut est celui de moines mendiants, dépendant pour leur nourriture de la charité publique. Pour autant, le Bouddha ne rejette pas catégoriquement les biens matériels à la manière des ascètes des forêts. Quand il lui est demandé d'interrompre ses pérégrinations durant la mousson, Nandiya fait édifier pour sa communauté un *kuti*, un ermitage, dans la forêt de Migadavana. Après Nandiya, de nombreux mécènes multiplient les donations au *sangha* : trois parcs lui sont offerts par trois banquiers de Kosambi séduits par ses enseignements ; des *kuti* lui sont édifiés à Rajagaha, à Kapilavatthu et à Savatthi ; le roi Bimbisara lui cède le bois de bambou de Veluvana et, dit-on, des serviteurs dont le nombre suffirait à peupler tout un village. De riches mécènes se chargent de l'entretien des différents lieux d'accueil, mettant à la disposition de la communauté des serviteurs et des jardiniers. L'un de ces mécènes, précisent les biographes, édifiera soixante-dix *kuti* dans le bois de bambou offert par Bimbisara, et préparera pour la communauté, à cette occasion, un festin de roi. Mais ceux qui suivent l'Éveillé abandonnent leur fortune en même temps que leurs attaches ; c'est le cas, par exemple, de Yasa, fils d'un riche marchand de Varanasi qui rencontra le Bouddha dans le parc des Gazelles et fut l'un de ses premiers disciples. Quant aux laïcs qui choisissent de suivre ses enseignements, mais sans s'engager dans la voie monastique, le Bouddha ne leur demande pas d'abandonner leurs richesses, mais d'en user avec mesure et en ayant toujours conscience du caractère transitoire de toutes les réalités terrestres. Si la plupart de ces laïcs appartiennent au petit peuple, on compte aussi, parmi eux, des rois, dont Bimbisara, des princes, de riches marchands, des jeunes issus de la noblesse. Ils fréquentent les *kuti*, les entretiennent par leurs dons. La règle établie veut qu'il soit du devoir des laïcs d'entretenir les moines en échange de bénédictions. S'il accepte des donations importantes, le Bouddha insistera toujours sur le fait qu'il s'agit par là d'entretenir le *sangha*, et non de s'enrichir.

La démarche de Jésus fut tout autre. Non seulement il ne s'est jamais appuyé sur des mécènes ni n'a reçu de terres ou de monastères, mais les seuls dons qu'il acceptait étaient les repas offerts aux siens. Avec ses disciples, il vivait dans le dénuement le plus total. Ceux-ci s'inquiétaient-ils de savoir ce qu'ils allaient manger et où ils allaient dormir ? « Ne vous inquiétez pas pour votre vie de ce que vous mangerez, ni pour votre corps de quoi vous le vêtirez », leur dit-il (Luc, 12, 22). Lui-même est une sorte de vagabond qui affirme n'avoir qu'une seule maison : le Temple, qu'il appelle « la maison de mon Père » (Jean, 2, 16). Les biens de ses disciples sont réduits au strict minimum : là où le Bouddha prévoit des robes de rechange pour ses moines, Jésus leur prescrit une seule tunique (Marc, 6, 56). Sur la route, leur pauvreté est radicale : ils n'ont ni pain, ni besace, ni menue monnaie, simplement un bâton et des sandales (Marc, 6, 8-9). Ils n'ont plus de biens, ils n'ont plus de liens non plus. Jésus leur demande d'oublier leur famille pour le suivre. « Laisse les morts enterrer leurs morts ; pour toi, va-t'en annoncer le Royaume de Dieu » (Luc, 9, 59-60), conseille-t-il à celui qui lui demande la permission d'aller enterrer son père. « Quiconque a mis la main à la charrue et regarde en arrière est impropre au Royaume de Dieu » (Luc, 9, 61-62), lance-t-il à cet autre qui souhaite dire adieu à sa famille.

Si Jésus fréquente surtout les pauvres, il ne méprise pas pour autant les riches. Certains parmi ses disciples sont même aisés : Marthe, Marie et Lazare de Béthanie, Joseph d'Arimathie, par exemple. De même que les publicains, ces juifs très mal vus de la population, parce qu'ils collectent des impôts pour l'occupant romain ; chez eux Jésus s'attable sans leur demander de changer de métier, exigeant simplement qu'ils soient honnêtes dans son exercice (Luc, 3, 13). En fait, ses exigences les plus radicales visent ceux qui aspirent à être ses disciples : au riche jeune homme qui le sollicite sur le moyen de gagner la vie éternelle, Jésus conseille de donner tous ses biens pour gagner « un trésor dans les cieux » (Matthieu, 19, 21).

À l'intention de la majorité, il se contente de dénoncer l'accumulation : à quoi serviront les abondantes réserves de blé de celui qui s'est occupé à entasser des richesses, alors que son heure viendra la nuit même (Luc, 12, 16-21) ? Il ne dénonce pas l'argent, mais l'amour de l'argent : « Nul ne peut servir deux maîtres : ou il haïra l'un et aimera l'autre, ou il s'attachera à l'un et méprisera l'autre. Vous ne pouvez servir Dieu et l'Argent » (Matthieu, 6, 24). Ceux qui ont, insiste-t-il, doivent partager : « À qui te demande, donne » (Matthieu, 5, 42).

Socrate, pourtant citadin et père de famille, adopte une attitude tout aussi intransigeante à l'égard de l'argent et des biens matériels, dont il ne cesse de dénoncer la vanité. Selon Diogène Laërce, le philosophe d'Athènes citait constamment ce vers : « Ornements d'argent et de pourpre servent au théâtre, non à la vie. » Le même Diogène assure que Socrate refusait superbement les dons qui lui étaient proposés ; ainsi des esclaves que veut lui céder Charmide, ou du terrain que lui offre Alcibiade pour construire une maison : « Et si j'avais besoin de chaussures, et que tu viennes me donner du cuir pour que je me les fasse moi-même, crois-tu qu'en l'acceptant je ne serais pas ridicule ? » lui rétorque-t-il avec ironie. La seule exception notoire à cette règle fut l'esclave Phédon, racheté pour lui par Criton, et dont il fit un philosophe. Cet épisode fera dire à son contemporain Démétrius de Byzance que Socrate était fastueusement entretenu par Criton.

Or Socrate vit dans un grand dénuement. Dans les *Mémorables* de Xénophon, Antiphon en est même choqué : « Pas un esclave ne resterait chez son maître s'il devait y être aussi démuni que toi » (I, VI, 1). Dans leurs comédies, les deux auteurs rivaux de son époque, Eupolis et Aristophane, se moquent de lui en le traitant de gueux, de va-nu-pieds, de mendiant. En dépit de cela, pour se démarquer des sophistes dont les leçons étaient chèrement payées par la jeunesse dorée d'Athènes, Socrate refuse tout salaire. Il met un point d'honneur à exercer gratuitement son talent, car, pour lui, l'enseignement de la vérité ne saurait se monnayer. On peut donc penser qu'il disposait probablement de quelques biens familiaux qui servaient à entretenir sa famille.

Comme je l'évoquais dans le prologue, Socrate, Jésus et le Bouddha entendent montrer qu'il faut sortir de la logique de l'avoir. « Ce n'est pas de pain seul que vivra l'homme », affirme Jésus face au Diable qui le tente au désert (Matthieu, 4, 4). Et il rappelle à ses disciples qui s'étonnent qu'il ne mange pas : « Ma nourriture est de faire la volonté de celui qui m'a envoyé » (Jean, 4, 34). Jésus rappelle que l'être humain a besoin d'autre chose que de biens matériels pour être pleinement humain. Socrate affirmait de la même manière qu'un homme n'est pleinement homme que lorsqu'il recherche la vérité et met tout en œuvre pour sortir de l'ignorance. Et, pour le Bouddha, tout le sens de la vie humaine consiste à vaincre les illusions de l'ego en travaillant sur soi par la pratique de la méditation. La logique de l'être est infiniment plus importante que celle de l'avoir, nous rappellent-ils, même si aucun d'eux trois ne méprise le besoin qu'éprouve le plus grand nombre à posséder suffisamment de biens matériels pour vivre en sécurité.

À table !

Tout au long de son parcours, le Bouddha n'aura eu de cesse de mettre en garde contre le caractère éphémère et trompeur des plaisirs des sens. Une anecdote résume cet enseignement. Un jour, dans la forêt d'Uruvela, l'Éveillé croise les princes Bhaddavaggi à la poursuite d'une femme qui leur a volé leurs bijoux. « Vénérable, l'avez-vous vue ? » demandent-ils au sage. Celui-ci se tait un long moment, puis les interroge à son tour : « Est-il plus important de chercher une femme ou de se chercher soi-même ? » Interloqués, les princes descendent de leurs montures pour l'écouter. « Les plaisirs des sens sont comme du poison, ils sont cause d'attachement, donc de douleur et de souffrance », leur explique le Bouddha, illustrant son propos par l'image saisissante d'un repas fait en rêve : le rêveur a beau goûter aux mets les plus délicats, en fait il n'en est pas plus rassasié que lorsqu'il s'est endormi.

Pour autant, le Bouddha n'a pas vécu dans la plus complète austérité. Comme on l'a vu plus haut, les dons de ses bienfaiteurs incluaient, outre les terres et les *kuti*, des serviteurs et des cuisiniers. Ses biographes insistent non seulement sur le fait qu'il aimait la propreté et changeait de robe régulièrement, mais aussi qu'à l'heure de la sieste il se retirait dans sa chambre parfumée de lotus. Si son enseignement s'adresse à tous, il n'hésite cependant pas à répondre aux invitations des seigneurs et des nobles qui le convient à des repas. Ainsi, quand le riche Yasna prononce ses vœux, le père du jeune homme convie les deux moines à un repas « servi avec le plus grand soin ». Le roi Bimbisara le reçoit lui aussi volontiers à sa table. Si on sait que le Bouddha partage ces repas, on sait aussi qu'il s'y distingue par sa sobriété.

Jésus et Socrate non plus n'opposent pas une fin de non-recevoir aux invitations que leur adressent les riches. Mais, à la différence du Bouddha, ils ont la réputation d'y participer pleinement, banquetant avec un plaisir non dissimulé. Jésus ne dédaigne pas la bonne chère, au point qu'il arrive qu'il soit traité de glouton et d'ivrogne (Luc, 7, 34). Les récits évangéliques sont en fait ponctués de repas qui apparaissent comme des temps forts dans les pérégrinations du Christ. Il s'attable chez les publicains, se laisse inviter par les pharisiens, mais profite de chacune de ces occasions pour délivrer un enseignement. On le voit aussi partager son repas avec Simon le lépreux, avec Marthe et Marie, avec Matthieu, comme si partager le pain participait de cette communion si particulière qui le liait à ses disciples. C'est ainsi que certains de ces repas deviendront emblématiques de la personnalité du Christ, comme on le voit dans les noces de Cana, banquet au cours duquel, le vin venant à manquer, il transforme, nous dit-on, l'eau en vin, ou bien encore dans le dernier repas de la Pâque juive qu'il partage avec ses apôtres avant d'être arrêté, et au cours duquel il institue l'Eucharistie.

Socrate est tout aussi enclin à s'attabler, surtout quand la table est bonne. Plusieurs dialogues socratiques ont d'ailleurs des scènes de repas pour théâtre. Ce n'est sans doute pas un hasard si *Le Banquet* est à la fois le titre d'un dialogue de Platon et celui d'un texte essentiel de Xénophon où Socrate joue un rôle de premier plan. Dans *Le Banquet* de Platon, qui décrit un souper offert par Agathon, Alcibiade brosse d'ailleurs un tableau fort déroutant de Socrate à table : « Étions-nous dans l'abondance, il savait en jouir mieux que personne. Sans aimer à boire, il buvait plus que pas un autre, s'il y était forcé, et, ce qui va vous étonner, personne ne l'a jamais vu ivre » (220a). Mais il ajoute : « S'il nous arrivait, comme c'est assez l'ordinaire en campagne, de manquer de vivres, Socrate souffrait la faim et la soif avec plus de courage qu'aucun de nous. »

C'est peut-être là un des signes de la sagesse de nos trois personnages : être capable de partager pleinement le plaisir de manger et de boire avec les autres, ou, en d'autres termes, d'être pleinement dans le monde, et en même temps être suffisamment détaché de ce monde, des plaisirs et des besoins du corps pour être parfaitement résistant à la faim, à la soif et à toutes les autres vicissitudes de l'existence.

7

L'art d'enseigner

Les enseignements du Bouddha, de Socrate et de Jésus ont traversé les siècles et les millénaires sans prendre une ride. Cela s'explique très certainement par l'exemplarité de leur vie, par le caractère profondément novateur de leur pensée en regard des opinions dominantes de leur époque et par la portée universelle de leur message. Il me semble cependant qu'un autre facteur a contribué au rayonnement de leur pensée et de leur personnalité aussi bien auprès de leurs disciples immédiats qu'auprès de tous ceux qui les ont aimés et suivis à travers les siècles. Ce facteur, c'est l'art d'enseigner, qu'ils ont porté à la perfection

Leurs discours frappaient ceux qui les écoutaient non parce qu'ils étaient des orateurs exceptionnels ayant acquis une technique quelconque, mais parce qu'ils savaient parler un langage de vérité et qu'ils trouvèrent les mots pour exprimer une authentique expérience de la sagesse. Aucun des trois ne fut, en son temps, un prédicateur unique ou un penseur isolé : il y a deux mille cinq cents ans, l'Indus était sillonné par quantité de maîtres subversifs, ascètes et yogis, entourés, pour certains, de disciples et qui s'érigeaient contre l'ordre védique ; Athènes, quant à elle, s'ouvrait aux penseurs, sophistes ou héritiers des premiers philosophes de Milet ; la Palestine du temps de Jésus était une pépinière de prophètes dressés contre l'ordre établi et annonçant l'imminence d'un temps nouveau. Or, quand bien même certains parmi ces orateurs ont pu faire école à leur époque et connaître une certaine notoriété, l'histoire a oublié leurs noms. Mêlant à des degrés divers l'humour et l'ironie, l'enseignement magistral et le dialogue, l'anecdote et le questionnement, la séduction de l'éloquence et le pouvoir des gestes, nos trois maîtres, eux, sont restés dans les mémoires. Chacun pourtant avait sa manière propre de discourir et d'enseigner : Socrate à travers le questionnement et l'ironie, Bouddha, par l'autorité de ses sermons et son regard acéré sur le monde, Jésus, par la force mêlée de douceur de ses enseignements et de ses gestes. Et tous trois ont traversé les siècles en raison de ce parfum d'authenticité et de cette exigence de vérité qui se dégagent de leur vie et de leurs paroles.

L'ironie socratique

Au cours du dernier tiers de sa vie, Socrate s'emploie à répondre à l'injonction d'Apollon, le dieu de Delphes, qui, affirme-t-il dans l'*Apologie* sous la plume de Platon, « m'ordonne, à ce que je crois, et comme je l'interprète moi-même, de passer mes jours dans l'étude de la philosophie, en m'examinant moi-même et en examinant les autres » (28e). Mais comment enseigner, et surtout quoi enseigner, quand on a pour maxime de vie cette étrange devise que Socrate répète à satiété : « Je ne sais qu'une chose, c'est que je ne sais rien » ? (*Apologie*, 21d) Le sage, qui a passé sa jeunesse à interroger les poètes, les artistes, les philosophes, les politiciens, croit avoir trouvé la réponse : « Le dieu, dit-il, semble m'avoir choisi pour vous exciter et vous aiguillonner, chacun de vous, partout et toujours, sans vous laisser aucune relâche. Vous ne trouverez pas facilement un autre citoyen comme moi, attaché à cette ville par la volonté des dieux, pour vous stimuler comme un taon stimulerait un cheval » (*Apologie*, 30d et 31a). Alors, il vaque par les agoras et les rues de la ville, interrogeant tout un chacun, évitant la campagne où « les champs et les arbres ne veulent rien m'apprendre » (*Phèdre*, 230). À Athènes, nul n'échappe à ses questions : les commerçants, les petits artisans, les généraux, les prêtres, les devins, les orateurs, les géomètres. L'homme est laid, certes, mais néanmoins avenant. Il engage toujours la conversation sur un ton à la fois badin et admiratif. Les dialogues de Platon regorgent de telles discussions. Dans *Lachès*, Socrate pose au général une question sur le courage, et dans *Euty-phron* il entreprend le théologien sur la piété. Avec d'autres, les sujets sont beaucoup plus anodins : « Il nous parle d'ânes bâtés, de forgerons, de cordonniers, de corroyeurs, il a l'air de répéter toujours la même chose, si bien qu'il n'y a pas au monde d'ignorant ou d'imbécile qui ne fasse de ses discours un objet de dérision », dit Alcibiade dans *Le Banquet* de Platon, ajoutant que ces discours-là, « à la première impression, on ne manquera sans doute pas de les trouver absolument ridicules » (221e). Il n'interroge ses interlocuteurs ni sur les dieux ni sur l'origine du monde, mais sur eux-mêmes, sur leur relation aux dieux, sur leurs activités en ce monde. Les interlocuteurs répondent volontiers à ce grand naïf qui les interroge et leur donne raison quand ils commencent à répondre, qui feint encore l'ignorance, pose aussitôt une autre question tout aussi naïve et évidente, semble encore donner raison à son interlocuteur, se déprécie lui-même, doute, s'angoisse. « Socrate prenait toujours le rôle de l'interrogateur, jamais du répondant, car il avouait ne rien savoir », note Aristote dans ses *Réfutations sophistiques* (183b8). « Il passe son temps à faire l'enfant avec les gens », se plaint Alcibiade (*Le Banquet*, 221e). Les questions s'enchaînent, se rapprochant imperceptiblement de leur cible sans que le ton de Socrate change encore. « Mon merveilleux ami », répète-t-il, remerciant même son plus farouche opposant pour ses réponses, y décelant une faille, la pointant innocemment, aiguillonnant son interlocuteur jusqu'à ce que celui-ci, troublé, découragé, perdant pied et confiance, reconnaisse sa propre ignorance et admette qu'il ne sait rien. Le général finit par baisser les bras quand il s'agit de définir le courage, le théologien ne sait plus ce qu'est la piété, et, dans les *Mémorables* de Xénophon, Hippias, excédé, demande au maître de cesser de questionner et de dire une bonne fois pour toutes ce qu'est la justice ; mais Socrate ne s'arrête pas là : la justice, lui dit-il, ne se définit pas, car elle est indéfinissable, mais elle se vit par des actes (4, 4, 10-1). Le système de valeurs de l'interlocuteur s'effondre brusquement et celui-ci commence ainsi, selon Socrate, à accéder à la sagesse. À ce moment, le dialogue ne se rompt pas, mais la balle change de camp. Désormais, c'est Socrate qui déduit et son interlocuteur qui lui répond : « Tu as raison », sauf si c'est un sophiste de mauvaise foi ! Socrate exige d'ailleurs cette adhésion grâce à laquelle il creuse encore et encore la même question avant de passer à la suivante. Les préjugés sont abattus, les idées fausses aussi. À partir d'une interrogation anodine, la discussion s'est ouverte dans l'esprit. Ce n'est pas un hasard : selon Socrate, chacun porte en soi la nature humaine tout entière, qui se révèle à condition de savoir l'observer, de vouloir analyser qui on est et ce que l'on fait. C'est le « Connais-toi toi-même », l'injonction socratique empruntée à la maxime gravée sur le fronton du temple d'Apollon, à Delphes, là où la pythie décréta que Socrate était le plus sage des hommes. Cependant, celui-ci, qui a mené le dialogue jusqu'à ce point impensable, ne prétend pas pour autant détenir un savoir. Il affirme ou feint d'affirmer qu'il a appris grâce à son interlocuteur, en parcourant avec lui le chemin dialectique. Savait-il à l'avance comment se terminerait la discussion ? C'est probable. Mais il ignorait certainement quels détours elle emprunterait.

Tel est l'art socratique de la maïeutique, du grec *maieutik*è, littéralement « art de faire accoucher ». En se référant à sa mère, la sage-femme Phénarète, Socrate explique ainsi son « métier » à Théétète dans le dialogue platonicien du même nom : « Mon art d'accoucheur comprend toutes les fonctions que remplissent les sages-femmes mais il diffère du leur en ce qu'il délivre des hommes et non des femmes, et qu'il surveille leurs âmes en travail et non leurs corps » (150b). Il insiste sur l'aspect technique de son travail, niant jusqu'à la possibilité, pour lui, de prétendre à aucun savoir sur la sagesse : « Je suis stérile en matière de sagesse, et le reproche qu'on m'a fait d'interroger les autres sans jamais me déclarer sur aucune chose, parce que je n'ai en moi aucune sagesse, est un reproche qui ne manque pas de vérité. La raison, la voici : c'est que le dieu me contraint d'accoucher les autres, mais il ne m'a pas permis d'engendrer » (150c).

Socrate dispose d'un outil imparable pour exercer son art : l'ironie, l'*eironeia*, terme dont Gregory Vlastos affirme qu'il lui a créé de toutes pièces sa nouvelle signification : « une parole exempte d'intention mensongère ou de volonté d'imposture », mais qui exprime le contraire de ce qu'elle dit, « l'outil parfait pour la raillerie[1] ». C'est le « Tu as certainement raison » dont Socrate ponctue sérieusement ses dialogues, phrase dont la vertu première est de faire tomber les défenses de l'interlocuteur, de l'encourager à aller plus loin dans sa propre réflexion, mais de le plonger, dans un second temps, dans une immense perplexité quand il s'aperçoit qu'en fait il n'a pas du tout raison. « Ils disent que je suis un original et que je jette les gens dans l'embarras », admet Socrate dans le *Théétète* (149a). « En voilà assez de ta façon de te moquer des autres, en questionnant et réfutant tout le monde sans jamais accepter de rendre compte de quoi que ce soit à personne en exposant ton opinion », lui lance un

1. Gregory Vlastos, *Socrate, ironie et philosophie morale*, *op. cit.*, p. 47.

Thrasymaque excédé, dans les *Mémorables* de Xénophon (4, 4, 9). Le fait même qu'il refuse obstinément de se poser en maître détenteur ne serait-ce que d'une parcelle de savoir, sa modestie affichée, sa bouffonnerie parfois, participent du jeu de l'ironie. L'autre élément de ce jeu est la morsure, la « piqûre du taon », pour reprendre sa propre expression, quand l'interlocuteur mesure brusquement ses erreurs et que le voile qui l'embrumait se déchire. Dans le *Ménon* de Platon, celui-ci compare Socrate à « cette large torpille marine qui, comme on sait, vous plonge dans la torpeur aussitôt qu'on s'en approche et qu'on y touche » (80a). Alcibiade complète ce tableau en disant du discours socratique que « ses traits sont plus acérés que le dard d'une vipère » (*Le Banquet*, 218a).

La magie du verbe socratique est telle que ses interlocuteurs finissent tous par lui concéder : « En t'écoutant, il me semble avoir été drogué. Tu m'as si bien ensorcelé que je ne sais même plus ce que je pense », lui dit Ménon (*Ménon*, 80a). Phédon renchérit : « Où trouverons-nous un si parfait magicien, quand tu nous auras abandonnés ? » (*Phédon*, 78a1). Après la mort de Socrate, ses disciples, en particulier Platon, réaliseront qu'ils n'ont d'autre issue que de transmettre son art d'enseigner tel qu'il l'avait exercé, c'est-à-dire par le biais des « dialogues socratiques », les *logoi sokratikoi*, qui forment un genre littéraire en soi par lequel le lecteur est placé dans la peau de l'interlocuteur du père de la philosophie. Et, comme le note judicieusement Pierre Hadot, « le masque, le *prosopon* de Socrate, déroutant et insaisissable, jette le trouble dans l'âme du lecteur et le conduit à une prise de conscience qui peut aller jusqu'à la conversion philosophique[1] ».

Les sermons du Bouddha

Quand, après des années de vaines expérimentations auprès des ascètes de la forêt, Gautama prend place sous un arbre, il fait vœu de ne plus bouger avant d'avoir atteint la Vérité. Déjouant les assauts de Mara, dieu de la Mort, et de ses démons, une main posée sur le sol, il accède à la *boddhi*, l'illumination, c'est-à-dire la compréhension profonde : en un éclair, disent les textes, il a compris le mystère de l'existence et le moyen d'aider les êtres à se libérer du samsara.

Au parc des Gazelles de Sarnath, il rencontre les cinq ascètes auprès desquels il avait vécu quelque temps. Ceux-ci s'étonnent de son expression particulièrement apaisée, ils l'interrogent sur ce qui a bien pu se produire dans sa vie. En guise de réponse, le Bouddha délivre son premier sermon, sous une forme magistrale qui expose toute sa doctrine. C'était, disent les textes, « un samedi de pleine lune, en 103 de la Grande Ère, peu avant le coucher du soleil ». Et de préciser, probablement en raison de la solennité du ton, que, outre ce maigre groupe des cinq ascètes présents en chair et en os, l'auditoire était constitué de « dix-huit millions de brahma et d'un nombre incalculable de *deva* ». « Ô moines », commence le Bouddha, interjection qui ponctue son discours et sera l'expres-

1. Pierre Hadot : *Éloge de Socrate*, Allia, 1998, p. 14.

sion qu'il privilégiera en ouvrant tous ses discours, y compris pour s'adresser à une assemblée majoritairement laïque. Car il ne faut pas perdre de vue que, dans la conception bouddhiste, l'Éveil, la libération du cycle des renaissances, reste l'apanage des moines qui ont tout sacrifié à la Voie. C'est donc à eux que le Bouddha s'adresse en priorité.

Les effets du premier long monologue de l'Éveillé sont immédiats : Kondanna, l'un des cinq, connaît aussitôt l'Éveil « comme s'il l'avait toujours connu », les quatre autres ascètes qui l'ont écouté se convertissent au dharma, la voie du Bouddha, et deviennent ses premiers disciples, ou *bhikkhu* – littéralement « ceux qui reçoivent » (*Vinaya Mahavagga*, 1, 6). En leur parlant, en les encourageant à méditer, le Bouddha les a amenés à découvrir leur vraie nature, il les a fait réagir comme s'ils retiraient une épée de son fourreau ou un serpent de sa vieille peau. Or « l'épée et le serpent sont une chose, le fourreau et la dépouille, une autre » (*Majjhima Nikaya*, 2).

Pendant les quarante-cinq ans qui suivent, et quel que soit son auditoire, foule innombrable ou poignée d'individus, voire une seule personne (tel le renonçant Nalaka qui vient le voir au lendemain du sermon de Bénarès), le Bouddha multiplie les enseignements sous forme de discours solennels dont l'essentiel est consigné dans les cinq recueils du *Sutta pitaka*, la « corbeille des discours », l'un des trois piliers des enseignements bouddhistes. Dans leur forme, ces enseignements reprennent la structure du sermon de Bénarès qui expose les Quatre Nobles Vérités du bouddhisme, explicitant chacune d'elles en trois temps : d'abord sa description, puis les actions et moyens qui doivent être mis en place pour la réaliser, enfin une brève illustration du propos à travers les accomplissements du Bouddha.

Alors que Socrate multiplie les questions pour lever le voile sur la vérité, le Bouddha livre la Vérité parce qu'il la connaît. Il n'a pas besoin d'user d'ironie pour amener son interlocuteur à découvrir sa vraie nature : seule la voie solitaire de la méditation, à partir des enseignements délivrés, peut conduire à la véritable connaissance et à la délivrance, insiste-t-il. Face à ses interlocuteurs, Socrate exprime une large gamme de sentiments. Le Bouddha, lui, se maîtrise et adopte un ton impersonnel à travers lequel rien ne filtre de sa sensibilité. Là encore, les textes insistent toujours sur la transformation profonde intervenue en lui au moment de l'Éveil : le Bouddha a renoncé à ses passions, à ses désirs, mais il a en même temps abandonné sa propre personnalité, son moi, avec ses égoïsmes et ses imperfections, pour devenir un bouddha dont les caractéristiques sont celles de tous les bouddhas qui l'ont précédé. Ses interlocuteurs semblent d'ailleurs le comprendre d'emblée : son discours est présenté comme immédiatement convaincant. « Vous devrez » ou « vous ne devrez pas », se contente-t-il de dire à ceux qui l'interrogent pour qu'il leur expose les règles de vie qu'ils devront suivre. Précisons aussi que, à l'inverse de Socrate et surtout de Jésus, les questions qu'on lui pose ne sont en aucune manière piégées. Elles ne sont jamais non plus agressives : même l'ermite Uruvela Kassapa, jaloux du Bouddha et certain d'avoir des pouvoirs supérieurs aux siens, s'adresse à lui sur un ton fort courtois.

S'il n'use pas de la malice socratique, le Bouddha a parfois recours à une méthode que Jésus, nous le verrons plus loin, utilise de manière répétée : les petites histoires, les contes, les paraboles qui viennent illustrer l'énoncé d'une vérité. L'une d'entre elles est bien connue : celle du chasseur grièvement blessé par une flèche empoisonnée. Le Bouddha la narra à Culamalukyaputta, un moine de sa communauté qui lui posait une question hautement spéculative au sujet de l'univers. « Si vous n'êtes pas capable de me répondre, je quitte la communauté », dit le moine. Le Bouddha lui répondit en substance : si un chasseur, blessé par une flèche empoisonnée, exige, avant d'être soigné, de connaître le nom et la caste de l'archer, ainsi que le bois dont était faite la flèche, il mourra avant d'être soigné. Peu importe que l'univers soit permanent ou impermanent ; j'ai enseigné comment se délivrer de la vieillesse, de la maladie, de la mort, de la même manière que, pour sauver ce chasseur, il importe d'abord de retirer la flèche, de trouver la nature du poison et son antidote, puis de refermer la plaie. Perdre son temps à spéculer n'est d'aucune utilité pour qui veut être sauvé.

Le Bouddha demande très tôt à ses moines d'aller à leur tour délivrer les enseignements qu'il leur a communiqués. « Ô moines, partez maintenant, leur dit-il, partez œuvrer pour le bien et le bonheur des hommes, par compassion pour le monde, pour le bénéfice, le bien et le bonheur des dieux et des hommes. Qu'il n'y en ait pas deux qui partent dans la même direction. Enseignez le dharma et méditez sur la vie sainte et pure » (*Vinaya Mahavagga*, 1, 11). Ils peuvent donc répercuter ses enseignements à la multitude qu'il faut sauver du samsara, la roue des existences, et à laquelle il s'adresse. Il leur accorde aussi le droit, on pourrait même dire le devoir, d'ordonner de nouveaux moines (*Vinaya Mahavagga*, 1, 12). Ils n'ont peut-être pas son charisme, mais ils peuvent parler comme lui, d'autant plus aisément que ses propos restent délibérément impersonnels. Cela est d'ailleurs conforme à son enseignement, qui nie l'existence d'une personnalité stable, d'un soi permanent dont la description présenterait un quelconque intérêt. Ces enseignements sont ce que l'on appellerait aujourd'hui des cours académiques. Même les historiettes qui les illustrent ne sont pas tirées de son histoire personnelle : ce sont des contes illustratifs à visée didactique qui revêtent un caractère général. Une seule prérogative reste du ressort du Bouddha : l'élaboration du *vinaya*, l'ensemble des règles monastiques qui doivent aider les moines à réduire leurs attachements. Ces règles ont été progressivement édictées en réponse à des situations précises et à des questions déterminées. Elles constituent le *Vinaya pitaka*, l'une des trois corbeilles des enseignements du bouddhisme. Dans ce recueil, chaque règle est accompagnée de l'histoire qui entoure sa promulgation et des précisions que donne le Bouddha pour son application optimale.

Les rencontres de Jésus

Socrate a été le maître du dialogue et de l'ironie ; le Bouddha privilégiait les sermons magistraux ; Jésus, lui, a pour particularité d'avoir eu recours à toutes les formes de discours et à toutes sortes de registres, usant à la fois du dialogue, de l'ironie, des sermons, mais aussi bien des confidences, des prières, des paraboles, des paroles d'autorité, et ce dans une évidente volonté de s'adapter aux interlocuteurs auxquels il s'adressait.

Le point commun entre ces différents discours est l'usage du « je ». Un « je » qui claque, un « je » présent, sans fausse pudeur et sans fausse modestie. Jésus se met en scène, il se livre, il ordonne, il implore, il console, mais toujours sur un mode personnel qui, en ce sens, tranche radicalement avec le discours du Bouddha. À la différence aussi des prophètes bibliques qui l'ont précédé, il parle en son nom propre et affirme détenir son autorité de Dieu, qu'il appelle père (*abba*) et dont il est l'envoyé : « Qui me rejette rejette celui qui m'a envoyé », dit-il (Luc, 10, 16 ; Marc, 9, 37). Il ponctue même ses paroles du mot hébreu *amen*, qui signifie « en vérité », en le doublant même parfois (*amen amen* revient dans vingt-cinq occurrences de l'Évangile de Jean), pour insister sur l'autorité de son « je vous le dis ». « Vous avez entendu qu'il a été dit aux ancêtres que… », déclare-t-il à la foule venue l'écouter, tandis qu'il délivre son sermon sur la Montagne (Matthieu, 5, 21-48), « et moi je vous dis de… », ajoute-t-il aussitôt, affirmant ainsi la suprématie de la parole vive du présent sur la tradition passée. C'est là aussi une manière d'élever la foi au-dessus de la loi, sans toucher cependant à ce qui est au cœur de la Loi juive : l'amour de Dieu et du prochain. Jésus parle avec autorité, mais il n'évoque pas certains thèmes chers aux autres prophètes bibliques : ainsi, jamais il n'aborde l'exode, l'élection et le salut collectif du peuple d'Israël. Comme s'il voulait tourner la page d'une conception collective du religieux au nom d'un message nouveau centré sur le salut individuel qui passe par la foi, la confiance et l'amour en Dieu.

Son autorité ne supporte nulle contestation : il est le maître qui a pour mission non pas de supprimer les lois, mais de les réformer et d'en montrer le sens véritable. « Je ne suis pas venu abolir, mais accomplir » (Matthieu, 5, 17). Il cite celles concernant le crime, l'adultère, le divorce, le parjure, la vengeance et le pardon, l'amour du prochain. L'accès au Royaume des Cieux, clame-t-il, passe par une nouvelle justice. Il livre le « mode d'emploi » de la tradition qu'il affirme vouloir réformer, et propose une loi nouvelle davantage fondée sur l'amour, la justice et le pardon. Il est formel : « Quiconque écoute ces paroles que je viens de dire et les met en pratique, peut se comparer à un homme avisé qui a bâti sa maison sur le roc » (Matthieu, 7, 24). Et l'évangéliste de clore ainsi le récit de cet épisode : « Et il advint, quand Jésus eut achevé ces discours, que les foules étaient frappées de son enseignement : car il les enseignait en homme qui a autorité, et non pas comme leurs scribes » (7, 28).

Jésus prend souvent le risque d'être incompris et de choquer son auditoire. Non seulement parce qu'il conteste certains aspects de la tradition et critique violemment le dévoiement du culte, mais aussi, comme le souligne souvent l'Évangile de Jean, quand il tient un discours mystérieux. Ses propos sont souvent incroyables et scandaleux pour les esprits religieux, et peuvent même susciter la rage de ses interlocuteurs, comme lorsqu'il déclare sans ambages : « Avant qu'Abraham existât, Je Suis » (8, 58). Il se heurte à l'incrédulité parce qu'il y a quelque chose d'extrême et de radical dans son discours. Ceux qui n'appartiennent pas à son cercle rapproché ne peuvent pas le croire. Ils lui disent : « Nous savons que tu as un démon » (8, 52), et tentent même de le lapider (8, 59).

Bien souvent, comme Socrate, Jésus ne parle pas nécessairement à un auditoire nombreux. Quand il est entouré de ses seuls disciples, il adopte d'ailleurs un tout autre ton : il n'est plus l'orateur charismatique qui harangue les foules, mais le maître spirituel qui transmet son savoir le plus secret, le plus profond. Dans les Évangiles, et surtout, encore une fois, dans celui de Jean, les longues discussions avec ses disciples sont nombreuses et donnent lieu à des dialogues approfondis. Mais il n'y a pas que les disciples les plus proches à qui il parle de cœur à cœur. Avec la femme samaritaine, avec le pharisien Nicodème, avec l'aveugle-né, le publicain, le riche notable, le prophète qui parle aux multitudes se transforme en un être profondément sensible qui n'a de cesse de guider les âmes et d'étancher leur soif de vérité. Touché par la fragilité des uns, l'aveuglement ou les souffrances des autres, il interroge et répond, il offre sa guidance et sa compassion. Dans ces récits, il part d'une situation singulière, mais qui s'ouvre chaque fois sur un horizon universel.

Dans la plupart de ces rencontres, il est implicitement fait mention d'un curieux pouvoir que possède Jésus : celui de déjà connaître son interlocuteur, ce qui ne manque de dérouter les intéressés. Il sait par exemple que Nicodème, qui vient le voir en cachette, de nuit, est un grand docteur de la Loi, et il feint d'autant plus de s'étonner de ses questions, utilisant une forme d'ironie aux accents socratiques : « Tu es Maître en Israël, et ces choses-là, tu ne les saisis pas ? » (Jean, 3,10). Il connaît aussi le passé de cette femme samaritaine croisée devant un puits, cinq fois divorcée et vivant en concubinage avec un homme qui n'est pas son mari, à laquelle il demande avec tout autant d'ironie : « Va, appelle ton mari » (Jean, 4, 16).

Un autre trait caractéristique des Évangiles est qu'ils nous montrent Jésus en train de prier son « père » et nous font entrer dans l'intimité de cet échange. En effet, ces prières, qui peuvent nous paraître aujourd'hui banales, révolutionnent à leur époque les mœurs religieuses par leur ton intimiste et affectueux. « Père, ceux que tu m'as donné, je veux que là où je suis, eux aussi soient avec moi, afin qu'ils contemplent ma gloire que tu m'as donnée parce que tu m'as aimé avant la fondation du monde. Père juste [...], je leur ai fait connaître ton nom et je le leur ferai connaître, pour que l'amour dont tu m'as aimé soit en eux et moi en eux » (Jean, 17, 24-26), dit-il dans une prière qui rompt de manière émouvante avec l'image dominante de Dieu dans les sociétés patriarcales, Dieu puissant mais lointain et parfois terrorisant. Devant la foule massée au pied de la montagne pour l'écouter, lorsqu'il s'adresse à Dieu, Jésus abandonne son ton de maître pour devenir à son tour un disciple : « Notre Père qui es aux cieux, que ton Nom soit sanctifié, que ton Règne vienne, que ta Volonté soit faite sur la terre comme au ciel » (Matthieu, 6, 9-10).

S'il est encore un fait marquant dans la manière d'enseigner de Jésus, et ce quel que soit son auditoire, c'est bien l'usage de paraboles que lui inspire la vie quotidienne. Est-ce sa culture orientale qui l'incite à émailler son enseignement spirituel d'historiettes « profanes », contées de manière familière ? Jésus fait un usage intensif de la parabole, et les évangélistes ne manquent pas de relever ce fait : « Il leur parla de beaucoup de choses en paraboles », raconte Matthieu en relatant un discours de Jésus devant la foule amassée sur le rivage (13, 3). Et il insiste : « Il ne leur disait rien sans parabole » (13, 34). Il arrive même à ses disciples les plus proches de s'en étonner : « Pourquoi leur parles-tu en paraboles ? » l'interrogent-ils. Et Jésus de répondre : « C'est que, à vous il a été donné de connaître les mystères du Royaume des Cieux, tandis qu'à ces gens-là cela n'a pas été donné. » Et il ajoute : « C'est pour cela que je leur parle en paraboles : parce qu'ils voient sans voir et entendent sans entendre ni comprendre » (Matthieu, 13, 10-13). Ces histoires, dit-il en recourant encore une fois à une parabole, sont comme des grains jetés en terre, qui germent puis poussent, nuit et jour, sans que leur semeur sache comment, jusqu'au jour où la terre produit de l'herbe, puis un épi, puis du blé dans cet épi (Marc, 4, 26-29). Alors, pour parler du Royaume à ceux qui ne peuvent entendre le langage de la théologie, Jésus utilise des images simples : les fleurs dans les champs, la vie des moissonneurs ou celle des vignerons.

Prenons pour exemple l'une des paraboles les plus connues des Évangiles, celle du fils prodigue (Luc, 15, 11-32). Ce fils cadet réclame un jour à son père sa part d'héritage. Ce dernier la lui accorde et le fils quitte le domicile familial pour aller dilapider ses biens en menant une vie de plaisirs. Il finit par se retrouver dans la misère, travaillant quelque temps comme garçon de ferme à nourrir les cochons, mais toujours très pauvre et endurant une faim cruelle. Il décide donc de retourner chez son père et de lui demander de le reprendre non plus comme son fils, puisqu'il a péché, mais comme l'un de ses ouvriers. Le père l'aperçoit au loin et, pris de pitié pour son enfant, il se précipite vers lui et le prend dans ses bras. Il ordonne à ses serviteurs de lui apporter les plus beaux habits, un anneau qu'il lui passe au doigt, des chaussures, puis il fait tuer le veau gras et préparer la fête. À son retour des champs, entendant la musique et les danses, le fils aîné entre dans une grande colère : toute cette fête pour son frère qui a dilapidé l'héritage familial avec des prostituées, tandis que lui, le fils resté au foyer, n'a jamais été fêté ? Son père lui explique : « Toi, mon enfant, tu es toujours avec moi, et tout ce qui est à moi est à toi. Mais il fallait bien festoyer et se réjouir, puisque ton frère que voilà était mort et il est revenu à la vie ; il était perdu et il est retrouvé ! » À travers cette histoire, Jésus entend montrer la liberté de choix offerte par Dieu, qui laisse ses enfants partir s'ils le souhaitent, mais aussi sa miséricorde lorsqu'il les accueille ensuite avec bonheur, sans les juger ni les condamner, pour peu qu'ils comprennent leurs erreurs, se repentent et reviennent vers lui.

Les miracles de Jésus et du Bouddha

Une conviction inébranlable animait les disciples du Bouddha et de Jésus : ils étaient persuadés que leurs maîtres étaient investis d'une « mission » de nature cosmique ou divine : sauver l'humanité. Sans doute le besoin de valider ce caractère exceptionnel de leur destinée et de conférer ainsi de l'autorité à leurs propos, a-t-il incité leurs biographes à mettre l'accent sur de nombreux miracles, véritables « preuves » de leur mission.

Selon la tradition bouddhiste, le Bouddha acquiert avec l'Éveil le souvenir de ses cinq cent quarante-sept existences passées et la certitude d'avoir détruit en lui les désirs qui maintiennent dans le samsara. Il développe aussi les six connaissances dont jouissent les bouddhas : la capacité de tout voir, de tout entendre, de lire les pensées, de tout créer et transformer, de connaître les existences antérieures de chacun, enfin d'éteindre le soi. Autant de connaissances qui octroient à celui qui les possède des pouvoirs miraculeux. De manière « naturelle », est-il précisé, puisque ces pouvoirs sont la conséquence des progrès réalisés dans la connaissance et l'expérimentation de la Voie.

Dans l'Inde de cette époque, de tels pouvoirs n'étaient pas l'apanage des bouddhas : les yogis les plus aboutis étaient également capables, nous rapportent les textes, de prodiges. Quand il mène sa quête dans la forêt, Gautama en rencontre quelques-uns parmi les plus réputés, mais il réussit très vite à les surpasser. Ces pratiques magiques ne sont cependant pas le but qu'il recherche : sa quête est celle de la pureté absolue de l'esprit. Il interdira d'ailleurs à ses disciples de faire étalage ou usage de ce genre de pouvoirs, tant il les réprouve. Il n'en demeure pas moins que les textes bouddhiques, aussi bien les premiers textes pali que les biographies ultérieures, rapportent quantité de miracles qu'aurait accomplis le Bouddha dans le seul but de convaincre les non-croyants et de renforcer la confiance de ceux qui avaient foi en sa doctrine. C'est ainsi qu'il accède à la demande du roi Pasenadi du Kosala quand celui-ci le prie de faire une démonstration de ses pouvoirs. Le Bouddha annonce qu'il y procédera devant les habitants du royaume, sous un manguier. Jaloux, les démons arrachent tous les manguiers du royaume à l'exception d'un seul, intouchable, dans un petit enclos appartenant au roi. La saison n'est pas aux mangues ; un seul fruit, magnifique, a pourtant poussé sur cet arbre. Le jardinier le cueille, le tend au Bouddha qui le mange ; il demande au jardinier d'en planter le noyau en terre. Aussitôt, un énorme manguier jaillit, sous lequel le Bouddha peut déployer ses pouvoirs : il fait apparaître une allée de pierres précieuses flottant dans l'air, s'envole, fait jaillir des flammes de ses oreilles, de ses yeux, des pores de sa peau, crée un clone avec lequel il se met à discuter. Après de tels prodiges, il n'est pas étonnant que nul, dans le royaume, ne mette encore en doute sa doctrine !

Un autre épisode le met en scène dans l'ermitage d'Uruvela Kassapa, un ascète connu pour s'adonner, avec ses disciples, à des pratiques extrêmes. Quand Uruvela laisse entendre au Bouddha qu'il ne dispose de nulle place où le loger, ce dernier propose de s'installer dans la cuisine. Mais son hôte le prévient que cette pièce est la chasse gardée d'un redoutable dragon-serpent. Le Bouddha s'installe quand même dans la cuisine et commence sa méditation quand la bête, furieuse, se déchaîne sur lui en crachant du feu. Le Bouddha lui rend la pareille, et cette bataille du feu dure toute la nuit. Uruvela est convaincu de la victoire du dragon, mais, au matin, quand cesse la bataille, il est tout surpris de voir le Bouddha sortir de la cuisine. Ce dernier a en effet réussi à soumettre la créature non par l'usage des flammes qu'il faisait jaillir grâce à ses pouvoirs, mais par la force de sa bienveillance. L'ermite reconnaît alors les pouvoirs du Bouddha, mais estime être aussi puissant que lui. La nuit suivante, il assiste au spectacle de quatre *deva* aux corps rayonnants qui s'installent auprès du Bouddha afin qu'il leur enseigne le dharma. L'ermite persiste à penser que le Bouddha dispose de grands pouvoirs, mais qui ne sont pas supérieurs aux siens. Afin de briser l'orgueil de ce yogi, le Bouddha lui offre une démonstration de ses prodiges. En vain : Uruvela campe sur son idée. Il ne reste alors plus qu'un seul recours au Bouddha pour amener l'ermite sur la Voie : lui parler. « Tu es comme un ver luisant qui se prend pour le soleil », lui dit-il. Cette seule parole réussit là où tous les miracles s'étaient révélés vains. L'ermite ravale instantanément son orgueil et demande à l'Éveillé de le prendre pour disciple. Toucher le cœur par une seule parole, peut-être est-ce là le plus grand des miracles ?

La situation de Jésus est comparable à celle du Bouddha pour ce qui est de la « banalisation » des pouvoirs dont les « prophètes » messianiques se prétendent volontiers dotés. Dans ses *Antiquités juives*, rédigées à la fin du Ier siècle, l'historien Flavius Josèphe décrit certains d'entre eux, tels Judas, fils d'Ézéchias, Simon, l'esclave d'Hérode, ou encore Theudas, qui, en 44, avait invité les foules à le suivre avec leurs biens pour assister au partage des eaux du Jourdain qu'il réaliserait et traverser le fleuve à sec. Theudas, qui menaçait l'ordre public, fut arrêté par les troupes du procurateur Cuspius Fadus et décapité. Simultanément, la mystique juive (*merkebah*), apparue au Ier siècle avant notre ère, connaît un immense succès populaire. Ses maîtres sont réputés pour leurs pouvoirs magiques, et les fidèles s'empressent chez les plus réputés d'entre eux, c'est-à-dire ceux qui déploient le plus de pouvoirs. Mais, au-delà de cette similarité entre les deux contextes historiques, une distinction doit être faite entre les prodiges attribués au Bouddha et ceux dont on crédite Jésus. Pour le premier, ces miracles sont toujours racontés dans un contexte où ils servent à confirmer l'autorité du maître. Leur narration a une vertu pédagogique et fait souvent appel à des croyances populaires mythiques, tel le combat contre le dragon, que nous venons d'évoquer. Comme, par ailleurs, ces récits ont été écrits plusieurs siècles après la mort du Bouddha, il est fort probable que la plupart aient été inventés pour édifier le lecteur.

Il en va tout autrement pour Jésus. D'une part, parce que ces récits ont été composés soit par des témoins oculaires, soit par des disciples ayant recueilli des témoignages directs ; d'autre part et surtout, parce que les miracles attribués à Jésus sont extrêmement nombreux et structurent tous les récits évangéliques. Dire qu'ils sont tous mythiques reviendrait à invalider le témoignage des Écritures et à amputer d'un bon quart les textes fondateurs du christianisme. La difficulté est telle, pour un esprit moderne, que certains exégètes chrétiens affirment croire à la parole évangélique « malgré les miracles » ! Or, s'il apparaît que certains prodiges ont été ajoutés dans un but d'enjolivement ou d'édification – le tremblement de terre et les morts qui sortent des tombeaux et se promènent dans la ville après la mort de Jésus, par exemple (Matthieu, 27, 51-53) –, d'autres, comme la multiplication des pains et la guérison des malades, sont rapportés par tous les évangélistes avec force détails concrets. Il me semble donc impossible de faire l'impasse sur eux sans rejeter la crédibilité des quatre Évangiles. Le croyant prendra ces miracles tels qu'ils se présentent, et l'incroyant pourra penser qu'il s'agit d'inventions, d'exagérations ou d'événements passant pour inexplicables mais qui pourraient, dans un avenir où la science aura encore progressé, trouver une explication rationnelle et naturelle.

Jésus affirme lui-même détenir des pouvoirs extraordinaires qui lui ont été conférés par Dieu. Guérisons et exorcismes sont, selon les Évangiles, des éléments centraux de son activité. C'est d'ailleurs comme guérisseur qu'il entame sa carrière : « Il parcourait toute la Galilée, enseignant dans leurs synagogues, proclamant la Bonne Nouvelle et guérissant toute maladie et toute langueur parmi le peuple. Sa renommée gagna toute la Syrie, et on lui présenta tous les malades atteints de divers maux et tourments, des démoniaques, des lunatiques, des paralytiques, et il les guérit », raconte Matthieu (4, 23-24), ajoutant qu'à la suite de cela « des foules nombreuses se mirent à le suivre » (4, 25).

Jésus a accompli un grand nombre de miracles ; les quatre Évangiles en décrivent trente-cinq avec précision : dix-sept guérisons, six exorcismes, neuf interventions sur la nature et trois résurrections ; mais ils précisent que cette liste est loin d'être exhaustive : « Tous ceux qui avaient des malades atteints de maux divers les lui amenèrent, et lui, imposant les mains à chacun d'eux, il les guérissait. D'un grand nombre aussi sortaient des démons, qui vociféraient », insiste Luc (4, 40-41). Dans les villes qu'il traverse, « le soir venu, quand fut couché le soleil, on lui apportait tous les malades et les démoniaques, et la ville entière était rassemblée devant la porte. Et il guérit beaucoup de malades atteints de divers maux, et il chassa beaucoup de démons », ajoute Marc (1, 32-34). Le quart de l'Évangile de Marc est constitué de relations de miracles ; Matthieu et Luc les trient et en ajoutent d'autres. Jean se contente d'en relater sept, mais il évite systématiquement le mot « miracle », lui préférant celui de « signe » – signe divin, cela va de soi. Chez Luc, c'est d'ailleurs à Dieu que Jésus se réfère pour expliquer ces prouesses : « Si c'est par le doigt de Dieu que j'expulse les démons, c'est donc que le Royaume de Dieu est arrivé jusqu'à vous » (11, 20)[1].

Parmi tous ces miracles, un seul est rapporté à la fois par les quatre évangélistes : celui de la multiplication des pains. Voici comment le narre Jean : à l'approche de la fête de Pâque, Jésus, suivi d'une large foule d'environ cinq mille hommes, se trouve en Galilée. Il s'inquiète de nourrir cette multitude, interroge Philippe et André, qui lui indiquent un enfant ayant cinq pains d'orge et deux poissons. Ce sont là les seuls aliments disponibles. Jésus s'en empare et commence la distribution. Or non seulement tous se nourrissent à satiété, mais les restes remplissent douze couffins. Et Jean d'ajouter : « À la vue du signe qu'il venait de faire, les gens disaient : "C'est vraiment lui le prophète qui doit venir dans le monde." Alors Jésus, se rendant compte qu'ils allaient venir s'emparer de lui pour le faire roi, s'enfuit à nouveau dans la montagne, tout seul (Jean, 6, 1-15). »

Dans la culture de l'époque, Jésus devait prouver qu'il était l'envoyé de Dieu à travers ces signes. D'où cette insistance sur les prodiges qui attirent les foules et lui permettent de délivrer son enseignement. Pourtant les Évangiles montrent que Jésus n'a jamais cherché à utiliser ses pouvoirs pour lui-même, et il refusera de s'en servir pour échapper à ses ennemis lors de son arrestation. Il mettra aussi en garde ceux qui se contentent de miracles pour affirmer avoir

1. Pour une étude plus complète des activités miraculeuses de Jésus, voir Xavier Léon-Dufour, *Les Miracles de Jésus selon le Nouveau Testament*, Seuil, 1977.

découvert la vérité : « Il surgira, en effet, des faux Christs et des faux prophètes, qui produiront de grands signes et des prodiges, au point d'abuser, s'il était possible, même les élus » (Matthieu, 24, 24). »

Chapitre 8

L'art de mourir

Socrate et Jésus sont morts comme ils ont vécu : en pleine cohérence avec leurs principes éthiques et avec la vérité qu'ils prônaient. Ils étaient précurseurs et, comme tous les précurseurs, ils étaient dérangeants. Ils menaçaient l'ordre établi : l'ordre social, l'ordre politique, l'ordre religieux. Aussi ont-ils été éliminés. Socrate et Jésus ont été jugés, condamnés à mort et exécutés. Il en est allé différemment du Bouddha, mort à quatre-vingts ans des suites d'une intoxication alimentaire, même si l'hypothèse d'un empoisonnement criminel n'a jamais été totalement exclue par la tradition primitive.

Une fin acceptée

Trois mois avant son *paranirvana* – terme usité par la tradition bouddhiste pour décrire la fin de la vie humaine d'un bouddha –, Siddhârta a beaucoup vieilli. Le poids de ses quatre-vingts ans pèse sur ses épaules, il est malade et sa maladie lui pèse, ainsi que le rapporte le *Mahaparinirvana sutra*, le plus long récit du canon pali, consacré aux derniers jours de l'Éveillé. Il se confie à son fidèle Ananda quand celui-ci vient le supplier de ne pas disparaître avant d'avoir prodigué d'ultimes instructions à la communauté : « Je suis frêle, désormais, Ananda, je suis très avancé en âge. Ceci est ma quatre-vingtième année, et ma vie est passée. De même qu'une vieille charrette n'est maintenue en état de fonctionner qu'avec beaucoup de difficultés, de même le corps du *Tathagata* ne peut plus fonctionner qu'avec des soutiens » (2, 32). Mis à part Ananda, les plus anciens compagnons du Bouddha, et même son fils Rahula, sont morts. Les textes anciens laissent entrevoir que le Bouddha a cessé d'attirer les foules qui se déplaçaient autrefois pour lui. Certes, ses communautés monastiques sont bien en place, mais la religion qu'il a instituée a perdu de son premier allant. Plusieurs textes du canon affirment que le Bouddha annonça un jour à ses disciples qu'il atteindrait trois mois plus tard son *paranirvana*.

Le Bouddha mobilise alors ses dernières forces pour se rendre auprès des communautés et faire ses adieux aux moines. Il se dirige vers le nord-ouest, atteint la ville de Pava (probablement l'actuelle Fazilnagar), où le joaillier Cunda l'invite à se reposer dans sa mangueraie, puis à partager son dîner avec les moines de son escorte. Cunda a fait préparer un plat particulier dont la recette est aujourd'hui perdue, le *sukaramaddava*, mot que l'on pourrait traduire littéralement par « nourriture molle de porc ». S'agit-il effectivement d'un plat à base de viande de porc ? Ou bien d'une variété de champignons donnés en nourriture aux porcs, comme l'ont plus tard affirmé les tenants d'un strict végétarisme bouddhiste ? En tout cas, le Bouddha en mange, mais interdit à quiconque d'y toucher. Il ne termine pas l'assiette, mais demande que les restes soient enterrés, précisant que même les *deva* ne pourraient les digérer (*Mahaparinirvana*, 4, 19). Dans la nuit, l'Éveillé est pris de violentes douleurs et vomit du sang. Il reprend quand même la route et arrive à proximité de Kushinagara, au sud de Lumbini. Le Bouddha est dès lors incapable de poursuivre son chemin. Il ordonne une halte sous un arbre. Il se couche, la tête dirigée vers le nord.

A-t-il été délibérément empoisonné au moment où le *sangha* connaît des déchirements et des heurts entre les tenants d'une ligne dure, ascétique, et ceux qui restent fidèles à la « voie du milieu » prônée par leur maître ? Les textes pali les plus anciens évoquent la thèse de l'empoisonnement, pour aussitôt la rejeter. Ils signalent ce fait étrange, difficile à interpréter : le Bouddha aurait demandé à un groupe de moines de rebrousser chemin pour remercier le joaillier de cet ultime repas qui fit accéder le Bouddha au *paranirvana* et qui lui vaudra, en signe de reconnaissance, « une renaissance céleste et souveraine » grâce à ce mérite (*Mahaparinirvana*, 4, 56).

Étendu sous son arbre sur le flanc droit, dans la posture du lion, le Bouddha adresse ses derniers conseils à ses proches, quand il s'étonne de l'absence d'Ananda. Celui-ci s'est réfugié derrière un bosquet pour pleurer. Comme il a coutume de le faire, le Bouddha le réprimande. Puis, pour la première fois, il remercie son vieux compagnon : « Depuis longtemps, Ananda, tu sers le Tathagata avec amour et bonté, en actes, en paroles et en pensées, de tout ton cœur et sans mesure » (*Mahaparinirvana*, 5, 35). La légende raconte qu'à l'instant précis où l'Éveillé poussait son dernier soupir, peu avant l'aube, la terre se mit à rugir et à trembler…

Vers 399 avant notre ère – c'est la date retenue par les biographies de Socrate, mais elle ne peut être qu'approximative –, trois citoyens athéniens traînent Socrate devant le tribunal. Il s'agit d'Anytos, riche commerçant connu pour ses talents d'orateur, par ailleurs farouche défenseur de la démocratie, et de ses deux amis, le poète Mélitus et le rhéteur Lycon. Ces trois-là affirment que Socrate représente un sérieux danger pour l'ordre de la cité, et ils portent à son encontre deux chefs d'accusation ainsi résumés par Platon dans son *Apologie* : « Socrate est coupable de corrompre les jeunes gens et de ne pas reconnaître les dieux de la cité, mais, à leur place, des divinités nouvelles. » La deuxième accusation réfère au *daïmon* auquel il faisait souvent allusion (24b-c). Comme l'y autorise la loi, Socrate, plutôt que de lire le brillant discours que lui a préparé son ami Lysias, choisit d'assurer lui-même sa défense devant les cinq cent un jurés qui ont été réunis. Ce procès est essentiellement rapporté par Platon dans son *Apologie,* mais il est également évoqué en plusieurs occurrences, par exemple dans *Euthyphron*, ainsi que dans les *Mémorables* de Xénophon. Devant l'Héliée, le tribunal du Peuple, l'accusation prend d'abord la parole. « Je ne me suis pas reconnu moi-même » (17a), rétorque Socrate en dénonçant les mensonges proférés dans les brillants discours qui ont été prononcés, face auxquels il annonce qu'il usera de son langage habituel, celui qu'il a tenu pendant des décennies sur les places publiques. Il demande donc à ses juges de ne pas tenir compte de la forme de son propre discours, « mais de considérer seulement avec attention si ce que je dis est juste ou non. C'est en cela que consiste la vertu du juge » (18a). Socrate sait qu'il n'a pas bonne presse dans la ville, et qu'outre ses accusateurs déclarés il aura à lutter, au cours de son procès, contre quantité de « fantômes », tous ceux qui ont répandu, à visage caché, des calomnies à son encontre. Néanmoins, il pose d'emblée, et de manière claire, qu'en accord avec ses principes il jouera pleinement le jeu du procès : « Qu'il arrive tout ce qu'il plaira aux dieux, il faut obéir à la loi, et se défendre » (19a). Mais, prend-il soin d'ajouter, il a un protecteur suprême : Apollon, le dieu de la cité, qui s'est exprimé par l'intermédiaire de l'oracle de Delphes pour le désigner comme le plus sage : « Apollon ne ment point. Un dieu ne saurait mentir » (20e), précise-t-il non sans malice à ses juges qui l'accusent d'impiété.

Socrate déploie ensuite toute sa verve, tous les rouages de son ironie, pour annihiler les deux chefs d'accusation. Il est accusé de corrompre la jeunesse athénienne ? Il rappelle qu'il n'a jamais touché salaire, à la manière des sophistes, de ces jeunes gens pourtant bien nés. Et c'est lui qui, désormais, pose les questions à ses accusateurs, notamment à Meltius : « Parle, lui dit-il, réponds-moi », « dis-moi qui peut rendre ces jeunes gens meilleurs ? », « qui peut leur inculquer la vertu ? » Meltius s'empêtre dans ses réponses, et Socrate ne manque pas de le placer face à ses contradictions : « Tu as suffisamment prouvé que l'éducation de la jeunesse ne t'a jamais beaucoup inquiété, et tes discours ont fait paraître clairement que tu ne t'es jamais occupé de la chose pour laquelle tu me poursuis » (25c). Il l'attaque, l'accuse de mensonge, prend les jurés à témoin, se moque de son ignorance et démonte une à une les pièces de l'accusation. Et, se tournant vers les jurés, il leur assène une phrase qui résume toute sa morale : « Tout homme qui a choisi une fonction, parce qu'il la jugeait la plus honorable, ou qui y a été placé par son chef, doit à mon avis y demeurer ferme, et ne considérer ni la mort, ni le péril, ni rien d'autre que l'honneur » (28d).

Les jurés sont certainement piqués au vif, d'autant que, dans la foulée, Socrate leur annonce que, quel que soit leur verdict, « tant que je respirerai et que j'aurai un peu de force, je ne cesserai de m'appliquer à la philosophie, de vous donner des avertissements et des conseils, et de tenir à tous ceux que je rencontrerai mon langage ordinaire » (29d). Des murmures s'élevant de leurs bancs, Socrate leur demande de le laisser poursuivre son discours : « J'ai à vous dire beaucoup d'autres choses qui, peut-être, exciteront vos clameurs, mais ne vous laissez pas aller à ces mouvements de colère » (30c). Il les interpelle sur la seule chose qui donne de la valeur à la vie : le perfectionnement de l'âme. Il leur raconte sa propre vie, ses combats, ses démêlés, son métier de philosophe. « Je n'ai jamais été le maître de personne, affirme-t-il, mais si quelqu'un, jeune ou vieux, désire s'entretenir avec moi et voir comment je m'acquitte de ma mission, je ne refuse à personne cette satisfaction » (33a). Mais il refuse de les attendrir, de les supplier, de jouer sur l'émotion, de faire venir ses enfants à la barre : « La justice veut que l'on ne doive pas son salut à ses prières, qu'on ne supplie pas le juge, mais qu'on l'éclaire et qu'on le convainque. Car le juge ne siège pas pour sacrifier la justice au désir de plaire, mais pour la suivre religieusement. Il a juré, non de faire grâce à qui bon lui semble, mais de juger suivant les lois » (35 b-c). Socrate sait qu'il risque la peine de mort, mais, ultime provocation, il propose au tribunal de le « condamner en bonne justice », lui, le bienfaiteur, à s'installer dans le Prytanée, haut lieu civil et religieux de la cité, où sont accueillis ses hôtes de marque (36e-37a), ou, à défaut, à une amende minime dont il fixe le montant. Les juges ne supportent pas son insolence. Les a-t-il convaincus de son innocence des deux chefs d'inculpation qui pèsent sur lui ? Peut-être, mais ils le condamnent néanmoins à la mort, châtiment des impies. Selon Diogène Laërce, à son épouse Xanthippe « qui se lamente de le voir mourir injustement », le philosophe donne cette superbe réplique : « Voulais-tu donc que ce fût justement ? »

En règle générale, les sentences de mort étaient exécutées très rapidement. Socrate, lui, passera près d'un mois en prison avant que lui soit administrée la ciguë (poison léthal communément utilisé pour appliquer la peine capitale). Il ne faut pas voir là un quelconque signe de considération pour sa personne, ni l'indice d'un remords chez ceux qui l'avaient condamné. La raison de ce délai est beaucoup plus prosaïque. En effet, au lendemain du jour où fut décrétée la sentence, un bateau quittait le port d'Athènes, emmenant sur l'île natale d'Apollon les prêtres chargés de procéder au rituel annuel de remerciements au dieu qui avait permis la victoire de Thésée sur le Minotaure. Or, selon la loi, aucune exécution ne pouvait intervenir avant le retour du navire sacré et de ses passagers.

Pendant ce mois qui sépare la condamnation de son exécution, Socrate n'est pas isolé. Au contraire, tous les jours, ses amis, ses proches, ses disciples, viennent le voir, l'interroger, écouter ses enseignements. N'avait-il pas prévenu ses juges que, tant qu'il serait en vie, il parlerait ? De ces quatre semaines il nous reste deux œuvres rédigées par Platon : *Phédon*, dialogue consacré à l'immortalité de l'âme, qui raconte la dernière journée de Socrate, et *Criton*, autre dialogue au cours duquel Criton, le plus vieil ami de Socrate, tente en vain de le convaincre de s'enfuir. De ces deux œuvres, mais aussi de ce que rapporte Xénophon, se détache l'image d'un Socrate courageux qui, jusqu'au dernier moment, n'a pas peur de la mort. C'est même lui qui doit consoler ses amis éplorés et les rassurer. Son épouse Xanthippe recommence-t-elle à se lamenter ? Il demande qu'elle soit évacuée de la pièce où il lui reste peu de temps à vivre. Criton le supplie-t-il de surseoir quelques heures à l'ingestion de la ciguë, comme font bien d'autres condamnés à mort ? « La seule chose que je gagnerais en buvant un peu plus tard, c'est de me rendre ridicule à moi-même en m'accrochant à la vie et en épargnant une chose que je n'ai déjà plus », lui rétorque-t-il (*Phédon*, 65). Pourtant, quand il approche la coupe de ses lèvres, ses amis fondent en larmes. « Ce n'était pas son malheur, mais le mien que je déplorais en pensant de quel ami je serais privé », s'exclame Phédon (*Phédon*, 66). Socrate déplore ces larmes et ces lamentations qu'il juge déplacées, effectue quelques pas comme le lui a recommandé l'esclave qui lui a apporté la coupe, puis il sent ses jambes s'alourdir, s'étend sur le dos, se voile la tête. Il meurt les yeux ouverts.

Nous sommes à une semaine de la Pâque juive. Des dizaines de milliers de juifs, venant de Palestine et de toute la diaspora, affluent comme chaque année à Jérusalem pour y célébrer la fête. Jésus est lui aussi venu pour la fête. Les autorités juives et romaines se méfient de cette période de l'année, quand aux pèlerins se mêlent les prophètes, les hérauts nationalistes et autres agitateurs qui profitent de cette tribune pour ébranler l'ordre établi. Un grave incident éclate quand Jésus s'en prend aux marchands du Temple, aux changeurs qui troquent la monnaie « païenne » contre les pièces juives qui permettent d'acheter les animaux des sacrifices, et qu'il va jusqu'à annoncer avec violence la fin de ce Temple « fait de main d'homme » (Marc, 14, 58), « un repaire de brigands » (Marc, 11, 17). Les prêtres s'inquiètent : le Temple tient en effet un rôle socio-économique central, il est le garant de leur pouvoir, de leur autorité. Qui est-il, ce Jésus qui ose appeler ce lieu « ma maison » (Marc, 11, 17) ? Il est d'autant plus inquiétant que ses disciples croissent en nombre. On peut donc estimer vraisemblable que ce soit à la suite de cet esclandre que les prêtres aient décidé de mettre un terme à ses activités de prédicateur. Jésus sent en tout cas monter leur hostilité à son encontre. Mais il n'est pas prêt à leur faire la moindre concession ; de ce fait, il sait que son arrestation est inéluctable. Les récits des quatre évangélistes s'accordent à situer un jeudi l'ultime repas auquel Jésus convie les Douze, ses plus proches disciples. L'heure est solennelle. Parce qu'il est leur maître, Jésus tient le rôle dévolu, dans la tradition juive, au père de famille : il bénit le pain et le rompt, bénit la coupe de vin et la tend aux convives en prononçant d'étranges paroles. Les trois Évangiles synoptiques rapportent ainsi cet épisode qui marquera profondément l'histoire du christianisme et le culte chrétien : « Tandis qu'ils mangeaient, Jésus prit du pain, le bénit, le rompit et le donna à ses disciples en disant : "Prenez, mangez, ceci est mon corps." Puis, prenant une coupe, il rendit grâces et la leur donna en disant : "Buvez-en tous ; car ceci est mon sang, le sang de l'alliance, qui va être répandu pour une multitude en rémission des péchés" » (Matthieu, 26, 26-27 ; Marc, 14, 22-24 ; Luc, 22, 19-20). Paul, dans sa première épître aux Corinthiens, précisera qu'à la suite de ces deux gestes Jésus a ajouté : « Faites ceci en mémoire de moi. [...] Chaque fois en effet que vous mangez ce pain et que vous buvez cette coupe, vous annoncez la mort du Seigneur, jusqu'à ce qu'il vienne » (11, 24-26). L'eucharistie – littéralement l'action de grâces – est l'élément central du culte chrétien depuis deux millénaires.

Les convives sont encore à table quand Jésus leur annonce que l'un d'eux va le livrer. Ils l'interrogent tous : « Serait-ce moi ? » Il réserve à Judas sa réponse : « Tu l'as dit. » Une fois le repas terminé, ils s'en vont au mont des Oliviers. Les apôtres multiplient les déclarations d'attachement à leur « rabbi », quand celui-ci se tourne vers Pierre : « En vérité je te le dis : cette nuit même, avant que le coq chante, tu m'auras renié trois fois » (Matthieu, 26, 34). Puis il s'éloigne pour prier. Mais il n'est pas serein. Il ressent « tristesse et angoisse », il « tombe face contre terre », il supplie Dieu : « S'il est possible, que cette coupe passe loin de moi ! » (Matthieu, 26, 37-39). C'est alors que les soldats, mandatés par les prêtres du Temple, s'approchent. Judas s'approche lui aussi. Il embrasse Jésus : c'est le signal de reconnaissance dont il est convenu avec les soldats. Jésus est arrêté et emmené chez Caïphe, le grand prêtre. Pierre, qui l'a suivi de loin, prend place avec les serviteurs. Il sera le témoin du procès de Jésus.

Procès est un grand mot pour décrire ce jugement vite expédié. Devant le Sanhédrin, le Grand Conseil juif doté de vastes compétences en matières religieuses, civiles et judiciaires, Jésus est interrogé sur la messianité qu'il revendique : « Je t'adjure par le Dieu Vivant de nous dire si tu es le Christ, le Fils de Dieu », lui demande Caïphe. « Tu l'as dit », lui répond Jésus. De rage et d'indignation, le grand prêtre déchire ses vêtements. « Il a blasphémé ! » s'écrie-t-il. « Il est passible de mort », répondent ceux qui assistent à la scène (Matthieu, 26, 63-67). Le gouvernorat romain est cependant le seul qualifié pour édicter les condamnations à la peine capitale et assurer le maintien de l'ordre public. Tandis que l'aube se lève, Jésus est ligoté par les prêtres et les Anciens, et traîné devant le gouverneur, Ponce Pilate. Celui-ci ne s'intéresse pas à sa messianité, mais au statut politique qu'il revendique. « Tu es le Roi des Juifs ? » lui demande-t-il d'emblée. Jésus donne sa réponse, devenue habituelle : « Tu le dis. » Puis il se plonge dans le silence. Pilate tente quand même de sauver cet homme de la vindicte des prêtres ; comme, à chaque fête, il relâche un prisonnier désigné par la foule, il demande à celle-ci : « Lequel voulez-vous que je vous relâche, Barabbas, ou Jésus que l'on appelle Christ ? » « Barabbas », crie la foule manipulée par les grands prêtres. Jésus est donc condamné à mort, à la pire des morts, celle réservée aux agitateurs politiques et aux esclaves fugitifs : la crucifixion. L'exécution du jugement prend effet immédiatement, avant que ne commence la fête. Ce jour-là est un vendredi, veille de shabbat et de Pâque, un 14 nisan. Selon les calculs effectués à partir des données astronomiques, on peut supposer que ces événements sont intervenus soit en l'an 30, soit en 33. C'est la première de ces deux dates qui est retenue par la plupart des historiens[1].

Pour les évangélistes, Jésus n'a pas été condamné par les Romains pour des raisons politiques, mais par les grands prêtres pour crime de blasphème. Un élément va dans ce sens : alors que la répression romaine contre les prédicateurs les plus agités s'abattait également sur leurs fidèles, les disciples de Jésus, eux, ne sont pas concernés par le jugement de Pilate, ils ne sont pas même recherchés par les autorités et peuvent continuer à se réunir autour du souvenir de leur rabbi,

1. La Pâque juive est tombée à deux reprises un 15 nisan sous le règne de Ponce Pilate : en 30 et en 33 de notre calendrier.

même s'ils prennent quelques précautions. En somme, Pilate, qui s'est « lavé les mains » du sang du condamné, aurait prononcé son verdict uniquement pour répondre à la demande du Sanhédrin.

J'aimerais dire ici un mot de l'antijudaïsme chrétien qui s'est nourri pendant des siècles de cet argument fallacieux : les juifs sont responsables collectivement de la mort de Jésus, ce qui fait d'eux le « peuple déicide ». Or ce n'est à aucun moment ce que disent ou suggèrent les Évangiles. Seuls les principaux notables religieux de l'époque ont voulu sa mort (et encore, pas tous, car certains, tel Nicodème, ont plaidé sa cause). La communauté juive de Jérusalem apparaît en fait divisée en trois groupes : les disciples de Jésus et ceux qui lui sont favorables ; une petite élite religieuse qui lui est très hostile et qui manipule la foule ; la majorité du peuple, qui reste en dehors de cette affaire. Imputer la mort de Jésus au peuple juif dans son ensemble est un amalgame odieux qui a malheureusement engendré de violentes persécutions tout au long de l'histoire de la chrétienté, et qui a joué un rôle non négligeable dans la naissance de l'antisémitisme moderne. Il faudra attendre le concile Vatican II (1962) pour que l'Église retire du missel la prière du vendredi saint incitant les fidèles catholiques à prier pour la conversion du « peuple perfide », responsable de la mort de Jésus.

Une fois Jésus condamné par Pilate, ce sont les soldats romains qui mettent le jugement à exécution. Jésus, le « roi des juifs », est affublé d'une couronne d'épines et emmené au Golgotha, colline qui domine la ville de Jérusalem, sous les quolibets et les crachats de la foule. Il est crucifié, et au sommet de la croix est inscrit le motif de sa condamnation : « Celui-ci est Jésus, le roi des Juifs ». Deux brigands sont crucifiés en même temps que lui, l'un à sa droite, l'autre à sa gauche. Il agonise pendant de longues heures, finit par rendre son dernier souffle après d'atroces souffrances. Il est enterré le jour même, avant le coucher du soleil et le début du shabbat. Jésus avait trente-cinq ou trente-six ans.

Fidèles à leurs enseignements jusque dans la mort

Le Bouddha a affronté la mort avec une grande sérénité, tout à fait conforme à sa conception de l'existence. Socrate et Jésus auraient quant à eux pu éviter de mourir dans les circonstances dramatiques qui viennent d'être rappelées. Ils auraient pu s'enfuir, mais ont refusé de le faire par fidélité à la vérité et à leur propre enseignement.

Tandis que Socrate est dans sa prison, attendant son exécution, ses amis lui préparent en effet un plan d'évasion. Son ami Criton a tout organisé et énumère les amis prêts à mobiliser leur fortune pour lui assurer un exil doré : Simmias de Thèbes, Cébès « et beaucoup d'autres ». Il lui confirme qu'il sera partout bien accueilli, même en Thessalie (*Criton*, 45). Ces arguments sont inutiles, et Criton aborde alors le volet moral : « Tu vas commettre une faute en te livrant toi-même quand tu peux te sauver », lui dit-il. Il le supplie de se sauver au nom de ses fils dont il va faire des orphelins : « Je rougis pour toi et pour tes amis, je crains qu'on n'impute à notre lâcheté ce qui t'arrive. » Il insiste : « Ce n'est plus le moment de réfléchir. Écoute-moi et fais ce que je te dis » (*Criton*, 45). Or, pour Socrate, la question n'est pas de savoir s'il *peut* s'enfuir, mais s'il est *juste* de s'enfuir. Pour le savoir, il fait appel à la seule voix qu'il a toujours écoutée, celle de la raison, « qui, à l'examen, me semble la meilleure » (46), et engage avec Criton un magnifique dialogue consacré au devoir. « Les principes que j'ai professés toute ma vie, je ne peux les abandonner parce qu'un malheur m'arrive », lui explique-t-il (45). Qu'importe ce que dira la multitude ! Socrate donne l'exemple d'un malade : écoute-t-il ce que lui assène le premier venu, ou bien ce que lui conseille son médecin, « celui-là seul dont il faut craindre la critique et apprécier l'éloge sans s'inquiéter du grand nombre » ? (47). Or il en va de même pour la santé de l'âme. « L'important n'est pas de vivre, mais de vivre selon le bien (48) », explique-t-il encore, c'est-à-dire de vivre selon les principes de justice ; or la fuite, l'exil, bafouent les lois d'Athènes, la justice de cette cité que Socrate chérit tant. Il se montre intransigeant : « Il faut faire ce que veut la République, ou employer auprès d'elle les moyens de persuasion que la loi accorde » (51). Fuir, dit-il aussi, accréditerait les chefs d'accusation portés contre lui, « car tout corrupteur des lois passera aisément pour corrupteur des jeunes gens et des faibles » (53). Socrate se sait victime d'une injustice, d'une cabale montée par Anytus et Mélitus, dont il a dit à l'issue de son procès : « Ils peuvent me tuer, ils ne peuvent pas me nuire » (*Apologie*, 30c). Mais cela ne change rien à sa décision de se soumettre aux lois de la cité.

Phédon témoigne que Socrate, au dernier jour de sa vie, « semblait heureux » (*Phédon*, 58e), affirmant même que « la mort est quelquefois préférable à la vie » (62a), ce, pour des raisons qui relèvent de la foi et de l'expérience religieuse du philosophe : « Si je ne croyais trouver dans l'autre monde d'autres dieux sages et bons, ainsi que des hommes meilleurs que ceux d'ici, j'aurais tort de ne pas être fâché de mourir. Mais il faut que vous sachiez que j'ai l'espoir de me réunir bientôt à des hommes vertueux, sans toutefois pouvoir l'affirmer entièrement. Mais pour y trouver des dieux amis de l'homme, cela, je peux l'affirmer » (63 b-c). Et, une fois de plus, Socrate répète ce qu'il n'a jamais cessé d'affirmer : « Tous ceux qui s'appliquent à la philosophie et s'y appliquent droitement ne s'occupent de rien d'autre que de mourir » (64 a). N'avait-il pas déjà dit à ses amis, le jour de son jugement : « Voici le moment de nous séparer, vous pour vivre, et moi pour mourir. De vous ou de moi, qui a la meilleure part ? Le dieu seul le sait » (*Apologie*, 42a).

Alors qu'il se rend à Jérusalem avec ses disciples et que l'hostilité des autorités religieuses à son endroit est à son paroxysme, Jésus leur fait par trois fois cette étrange annonce : « Voici que nous montons à Jérusalem, et le Fils de l'homme sera livré aux grands prêtres et aux scribes ; ils le condamneront à mort et le livreront aux païens pour être bafoué, flagellé et mis en croix ; et le troisième jour, il ressuscitera » (Matthieu, 20, 17-19). Les évangélistes insistent ainsi sur un fait capital pour eux : Jésus savait qu'il mourrait, et il acceptait pleinement cette mort. Il n'en va pas de même pour ses disciples, à commencer par Pierre qui réfute cette fatalité : « Dieu t'en préserve, Seigneur ! Non, cela ne t'arrivera point ! » Et Jésus de répondre à celui que l'Église catholique considérera comme le premier de ses papes : « Passe derrière moi, Satan ! Tu me fais obstacle, car tes pensées ne sont pas celles de Dieu, mais celles des hommes » (Matthieu, 16, 22-23). C'est ce même Pierre qui, juste avant de renier par trois fois Jésus, tente de s'opposer à l'arrestation de son maître en dégainant son glaive, blessant même l'un des serviteurs du grand prêtre. Jésus lui ordonne : « Rentre le glaive dans le fourreau. La coupe que m'a donnée le Père, ne la boirai-je pas ? » (Jean, 18,11).

Comme je l'ai écrit dans un autre ouvrage[1], la coupe de Jésus, c'est-à-dire sa mort sur la croix, ne saurait être interprétée comme la nécessité, pour le Fils, de souffrir pour apaiser la colère du Père, ainsi qu'on a pu le comprendre dans le cadre d'une théologie doloriste et sacrificielle. Une telle image contredit tout l'enseignement du Christ et sa révélation d'un Dieu d'amour. Jésus accepte sa mort parce qu'il n'y a pas d'autre issue possible pour rester fidèle à son message, devenu intolérable pour les autorités religieuses de son époque. Il fallait soit qu'il se taise et disparaisse, soit qu'il renie son message, soit qu'il l'assume jusqu'au bout et accepte d'en payer le prix. Une lecture attentive des Évangiles le montre bien : Jésus n'est pas mort

1. *Le Christ philosophe*, Plon, 2007 ; Points, 2009.

parce que Dieu avait besoin de souffrance, mais simplement parce qu'il a aimé sans faillir et a été fidèle à ce qu'il appelle « la volonté de son Père ». Jésus est mort pour avoir témoigné jusqu'au bout de la vérité qu'il est venu apporter. C'est sans doute la raison pour laquelle sa parole, comme celle de Socrate, sonne encore si juste et semble si vivante, deux mille ans après sa mort.

Leurs dernières paroles

« Je vais prononcer ma dernière parole », dit le Bouddha aux moines rassemblés autour de lui juste avant de perdre conscience et de gagner le *paranirvana*. Et il poursuit aussitôt : « Soyez attentifs, je vous y exhorte : tous les phénomènes conditionnés ont la nature de la destruction, ils sont sujets à disparaître. Efforcez-vous avec sincérité » (*Mahaparinirvana*, 6, 8). Dans sa brièveté, cet ultime enseignement résume en quelque sorte quarante-cinq ans de sermons, quarante-cinq années que le Bouddha avait inaugurées au parc des Gazelles devant ses cinq premiers disciples. Or voici que dans ce dernier souffle il exhale la quintessence de la voie qu'il a tracée : tout est sujet à destruction, ne vous attachez à rien, ainsi sera éliminée la souffrance. Quelques minutes plus tôt, s'adressant cette fois à Ananda, le Bouddha lui avait livré son ultime directive destinée à l'ensemble de la communauté : « Il se pourrait que certains de vous disent : “La parole du maître n'est plus, nous n'avons plus de maître.” Mais il ne faudrait pas voir les choses ainsi : j'ai proclamé le dharma, et le dharma sera votre maître quand je serai parti » (*Mahaparinirvana*, 6, 1).

L'ultime parole de Socrate est restée célèbre par son étrangeté, et elle a donné lieu à quantité d'interprétations. En effet, tandis qu'il approche la coupe de ciguë de ses lèvres, le philosophe commence par rabrouer ses disciples qui se lamentent autour de lui : « Si j'ai renvoyé les femmes, c'était pour éviter ces lamentations déplacées, car j'ai toujours entendu dire qu'il fallait mourir sur des paroles de bon augure », leur lance-t-il (*Phédon*, 117d-e). Puis il s'allonge, se voile le visage, ses membres commencent à refroidir, quand brusquement il approche sa main de son visage, soulève le voile, s'adresse à Criton : « Criton, nous devons un coq à Esculape. N'oublie pas d'acquitter cette dette. » Criton le rassure : « Ce sera fait. » Il est néanmoins suffisamment dérouté par cette demande pour enchaîner aussitôt : « Mais vois si tu as encore quelque chose à nous dire » (*Phédon*, 118a). Il est trop tard : Socrate est mort.

Cette phrase fut-elle l'ultime pirouette du maître de l'ironie ? Esculape était en effet le dieu de la Médecine ; la coutume voulait qu'un sacrifice lui fût offert à l'occasion d'une demande de guérison, puis en guise de remerciement pour la guérison obtenue. Quelle dérision, alors, que de songer à un tel sacrifice au moment de perdre la vie ! Évidemment, à l'aune de tous les dialogues socratiques parcourus au fil de ce livre, l'hypothèse d'une dernière pointe d'ironie à laquelle n'aurait pas résisté le maître reste plausible. Ce n'est cependant pas celle que je retiendrai. Nietzsche, sur qui l'influence de Socrate fut déterminante, bien qu'il s'en soit toujours défendu, a été interpellé par cette ultime phrase, qui, selon lui, émane d'un philosophe fatigué de vivre, d'un homme pour qui la vie est une maladie et la mort une délivrance, donc une guérison. De fait, si l'on en juge d'après des propos tenus par Socrate au sujet de la mort et de l'immortalité de l'âme, l'hypothèse que ce sacrifice témoigne de la gratitude de celui qui va être *guéri de la vie* corporelle semble fondée. Auquel cas, Socrate demande effectivement à Criton de ne pas oublier cette action de grâce. N'avait-il pas, dans l'*Apologie* de Platon, affirmé que « la mort est un bien », qu'elle est « un simple changement de domicile, le passage de l'âme d'un lieu dans un autre » (*Apologie*, 40c) ? Puis, s'adressant aux juges qui venaient d'édicter sa condamnation à mort, Socrate avait ajouté sur un ton particulièrement serein, voire joyeux : « Il est clair pour moi que mourir dès à présent, et être délivré des soucis de la vie, est ce qui me convient le mieux » (*Apologie*, 41d).

Les sept dernières paroles du Christ en croix, outre les nombreux commentaires spirituels et théologiques auxquelles elles ont donné lieu, ont inspiré depuis des siècles les plus grands musiciens du monde occidental : Josef Haydn, Charles Gounod, Olivier Messiaen, Heinrich Schütz, et j'en passe. Ces sept paroles prononcées par un Jésus crucifié et qui a entamé sa longue agonie sont en effet profondément émouvantes et constituent la quintessence de son enseignement.

La première de ces paroles suit immédiatement sa mise en croix. Jésus a été moqué, harassé par la foule, il est épuisé, sa fin est inéluctable, il s'adresse à Dieu qu'il appelle son père. Cette fois, il ne le supplie pas, la demande qu'il lui adresse ne le concerne pas, elle concerne les autres, ceux qui l'ont mis à mort : « Père, pardonne-leur : ils ne savent ce qu'ils font » (Luc, 23, 34). Jésus réaffirme avec force, alors qu'il est lui-même victime d'une haine aveugle, que le pardon est au-dessus de tout. Il rappelle aussi, à la suite de Socrate, que l'ignorance est la cause véritable de tous les maux.

Puis Jésus se retourne vers les deux condamnés qui ont été crucifiés, l'un à sa gauche, l'autre à sa droite. L'un d'eux l'invective : « N'es-tu pas le Christ ? Sauve-toi toi-même, et nous aussi » ; le second lui répond : « Pour nous, c'est justice, nous payons nos actes ; mais lui n'a rien fait de mal. » Et, se tournant vers Jésus, il l'implore : « Souviens-toi de moi, lorsque tu viendras avec ton Royaume. » Jésus lui répond : « En vérité, je te le dis, aujourd'hui tu seras avec moi dans le Paradis » (Luc, 23, 39-43), faisant de lui le premier « saint » de toute l'histoire du christianisme et le seul canonisé par Jésus lui-même, si l'on peut dire ! Or ce n'est ni un pieux fidèle ni un homme ayant mené une longue vie vertueuse, encore moins un ascète ayant consacré sa vie à Dieu, mais un bandit crucifié pour ses crimes. Un bandit qui se repent, reconnaît la justice et a foi dans le Christ et dans sa miséricorde. Comme Jésus l'a expliqué tout au long de ses enseignements, ce n'est pas la fidèle observance de la loi religieuse ni même la vertu qui sauvent, mais bien la foi et l'amour.

Sa troisième parole va à sa mère, qui a toujours été proche de lui et qui, là encore, malgré toute sa douleur, se tient debout au pied de la croix avec sa sœur,

Marie de Magdala, et Jean, le plus jeune et le plus proche apôtre de Jésus. « Femme, voici ton fils », lui dit-il en désignant « le disciple qu'il aimait ». Puis il dit à celui-ci : « Voici ta mère. » L'évangéliste Jean, qui rapporte lui-même cet épisode, précise que, « dès cette heure-là, le disciple l'accueillit chez lui » (Jean, 19, 26-27). Même mourant, Jésus se préoccupe du sort de sa mère et de son plus proche ami. Il ne regarde pas sa souffrance, mais celle de ceux qui l'aiment.

C'est alors seulement que Jésus peut penser à lui-même et au sort qui lui est réservé. Il se tourne à nouveau vers son *abba* avec un cri déchirant : « *Élôï, Élôï, lema sabachthani* » – « Mon Dieu, mon Dieu, pourquoi m'as-tu abandonné » (Marc, 15, 34). Ces paroles expriment la détresse profonde de Jésus, son sentiment de déréliction. Elles montrent qu'il ne fait pas semblant de souffrir dans son corps ni surtout dans son âme, comme l'affirmeront certaines interprétations ultérieures de la passion du Christ mettant en avant sa nature divine. Les Évangiles affirment au contraire que Jésus a connu la pire des souffrances pour l'âme croyante : le sentiment d'être abandonné de Dieu. Ces paroles sont aussi, mot pour mot, les premières du psaume 22 de la Bible hébraïque, une longue prière attribuée à David et couchée par écrit plusieurs siècles avant Jésus. Il se reconnaît dans ce psaume qui semble préfigurer ses souffrances, comme le percement des mains et des pieds ou le partage de la tunique, événements que rapportent les évangélistes. En voici un extrait : « Et moi, je suis un ver et non un homme, l'opprobre des hommes et le méprisé du peuple. Tous ceux qui me voient se moquent de moi, ils ouvrent la bouche, secouent la tête : recommande-toi à l'Éternel, L'Éternel le sauvera ; il le délivrera, puisqu'il l'aime ! Oui, tu m'as fait sortir du sein maternel, tu m'as mis en sûreté sur les mamelles de ma mère ; dès le sein maternel j'ai été sous ta garde. Dès le ventre de ma mère tu as été mon Dieu. Ne t'éloigne pas de moi quand la détresse est proche, quand personne ne vient à mon secours ! De nombreux taureaux sont autour de moi, des taureaux de Basan m'environnent. Ils ouvrent contre moi leur gueule, semblables au lion qui déchire et rugit. Je suis comme de l'eau qui s'écoule, et tous mes os se séparent ; mon cœur est comme de la cire, il se fond dans mes entrailles. Ma force se dessèche comme l'argile, et ma langue s'attache à mon palais ; tu me réduis à la poussière de la mort. Car des chiens m'environnent, une bande de scélérats rôdent autour de moi ; ils ont percé mes mains et mes pieds. Je pourrais compter tous mes os. Eux, ils observent, ils me regardent ; ils se partagent mes vêtements ; ils tirent au sort ma tunique. Et toi, Éternel, ne t'éloigne pas ! Toi qui es ma force, viens en hâte à mon secours ! » (Psaumes, 22, 7-20, traduction Louis Second).

La cinquième parole de Jésus en croix est citée par Jean et renvoie aussi, un peu moins explicitement, à ce même psaume – « Ma langue s'attache à mon palais ». Jésus dit en effet : « J'ai soif » (Jean, 19, 28). A-t-il seulement soif d'eau ? De la même manière qu'il avait dit à la Samaritaine : « Donne-moi à boire » (Jean, 4, 10), Jésus peut évoquer aussi une soif plus profonde : celle de l'âme en quête de l'amour de Dieu.

Après qu'il eut bu à une éponge imprégnée de vinaigre que lui tendent les gardes, Jean lui attribue cette dernière parole : « C'est achevé » (Jean, 19, 30). « Et, inclinant la tête, il remit l'esprit », conclut l'évangéliste. Luc lui attribue pour sa part une autre ultime parole qui exprime un abandon total à Dieu : « Père, en tes mains je remets mon esprit » (Luc, 23, 46).

Jésus, le Ressuscité ?

Comme pour le Bouddha et pour Socrate, tout aurait pu s'arrêter là. Les disciples de Jésus auraient pleuré amèrement leur maître et peut-être continué de transmettre son message. Mais ce n'est pas ce que disent les Écritures chrétiennes les plus anciennes (Lettres de Paul, Actes des apôtres, Évangiles). Toutes parlent d'un événement inattendu, auquel aucun disciple ne croyait et qui les bouleverse alors qu'ils sont anéantis par la fin tragique de celui en qui ils avaient placé leur espérance.

Mort sur la croix, à Jérusalem, à la veille de la Pâque juive, Jésus est aussitôt inhumé ; les femmes de son entourage – « Marie de Magdala, Jeanne, Marie, mère de Jacques, et les autres femmes qui les accompagnaient » – remettent au surlendemain l'embaumement traditionnel du corps. Or, quand elles reviennent, le dimanche à l'aube, le corps a disparu. Les apôtres, chez qui elles accourent, « ne les crurent pas ». Pierre se rend lui-même au tombeau, il en revient « tout surpris » (Luc, 24, 10-12). Les prêtres du Temple affirment que le corps a été volé malgré les gardes placés devant le tombeau (Matthieu, 28, 12-13). Or, au cours de la journée, Jésus apparaît à ses disciples. À Marie de Magdala tout d'abord, puis aux apôtres. La rumeur se répand comme une traînée de poudre : Jésus est ressuscité d'entre les morts le troisième jour, comme il l'avait annoncé.

Les textes parlent à la fois d'un être de chair et de sang qui marche, mange, parle, montre ses plaies aux apôtres incrédules ; mais, aussi, d'un être surnaturel qui traverse les portes fermées, surgit miraculeusement au milieu d'une assemblée, et qu'il est difficile de reconnaître du premier coup, puisque Marie de Magdala commencera par le prendre pour le jardinier et que les disciples d'Emmaüs ne le reconnaîtront qu'à la fraction du pain. Ainsi, ses disciples affirment l'avoir vu ressuscité sous des apparences diverses pendant quarante jours. Pour l'auteur des Actes des apôtres, les dernières paroles de Jésus ressuscité avant de monter au ciel et de disparaître sont celles-ci : « Vous allez recevoir une force, celle de l'Esprit-Saint qui descendra sur vous. Vous serez alors mes témoins à Jérusalem, dans toute la Judée et la Samarie, et jusqu'aux extrémités de la terre » (Actes, 1,8). Matthieu confirme cette mission universelle conférée à ses disciples : « Tout pouvoir m'a été donné au ciel et sur la terre. Allez donc, de toutes les nations faites des disciples, les baptisant au nom du Père et du Fils et du Saint-Esprit, et leur apprenant à observer tout ce que je vous ai prescrit. Et voici que je suis avec vous pour toujours jusqu'à la fin du monde » (Matthieu, 28, 18-20).

La résurrection de Jésus est au cœur de la foi chrétienne. Elle en est même l'un des fondements essentiels. L'historien ne peut guère se prononcer sur une telle énigme. Il ne peut que constater trois choses : tous les textes chrétiens anciens en parlent, et cette question ne fait absolument pas débat pour les premiers chrétiens. Cette conviction partagée par tous, qu'elle soit vraie ou fausse, explique l'extraordinaire élan avec lequel les disciples de Jésus vont transmettre sa mémoire et son message, alors qu'ils auraient pu se disperser et disparaître après l'épisode tragique de la croix, comme tant d'autres groupuscules juifs de l'époque. Enfin, Jésus est le seul maître spirituel, le seul sage, le seul fondateur de religion dont la résurrection est affirmée par ses disciples. Ni les disciples de Zoroastre, ni ceux de Moïse, ni ceux du Bouddha ou de Confucius, ni ceux de Pythagore ou de Socrate, de Mani ou de Mohammed, n'ont affirmé une telle chose. Il existe certes dans l'Antiquité des mythes de mort-résurrection, comme celui du dieu égyptien Osiris, notamment, mais jamais il n'est affirmé qu'un maître spirituel de chair et de sang, ayant historiquement existé, soit mort et ressuscité. L'Ancien Testament parle d'Hénoch et d'Élie, que Dieu a « enlevé au ciel », mais, outre le fait que ces deux personnages sont peut-être fictifs, il n'est pas dit qu'ils soient morts et ressuscités. Trois hypothèses pour l'historien : soit les disciples de Jésus ont menti ; soit ils ont été victimes d'un leurre ou d'une hallucination collective ; soit, enfin, ils disent vrai et ont vraiment vu Jésus ressuscité d'entre les morts, ce qui reste une totale énigme pour la raison humaine.

9

Ce qu'ils disent d'eux-mêmes

Au terme de ce parcours en forme de biographies croisées, deux questions importantes demeurent : qu'est-ce que, selon la tradition primitive, le Bouddha, Socrate et Jésus disent d'eux-mêmes ? Et qu'est-ce que dit d'eux la tradition plus tardive ? Ces questions valent surtout pour le Bouddha et pour Jésus, car deux systèmes de croyances ont progressivement été érigés sur leur personnalité, et, de ce fait, leur stature surhumaine n'a cessé de s'affirmer. Mais la figure de Socrate a elle aussi fortement évolué au fil des siècles ; même s'il a toujours été considéré comme un simple mortel et n'a jamais fait l'objet d'un culte religieux. Commençons donc par la première question : que disent-ils d'eux-mêmes ?

Socrate, l'ignorant investi

Nous avons vu que Socrate s'amusait à se déprécier auprès de son auditoire, à clamer dans toutes les agoras ne détenir « aucune sagesse, grande ou petite », et qu'il s'en allait répétant : « Je ne sais qu'une chose, c'est que je ne sais rien » (*Apologie*, 21d5). Croyait-il vraiment lui-même en ce discours ?

À y regarder de plus près, on s'aperçoit que Socrate n'ignore rien de sa vraie valeur. Il se dit dénué de tout savoir ? Pourtant, dans le *Gorgias*, quand Polos finit, au terme d'un long dialogue, par admettre que la thèse de Socrate sur la justice pourrait être difficile à réfuter, le philosophe lui répond froidement : « Ce n'est pas que ce soit difficile, Polos, c'est impossible. Car ce qui est vrai n'est jamais réfuté » (473b). Par ailleurs, celui qui se plaît à répéter en public que son rôle est celui d'une sage-femme, et que son art, la maïeutique, n'est autre que l'art d'accoucher, reconnaît dans le *Théétète* de Platon que l'office de la sage-femme est inférieur au sien (150a), puisqu'elle fait accoucher les corps quand lui-même fait accoucher les esprits. Et cela, « grâce au dieu et à moi » (150d).

Tel est, en fait, le mystère de Socrate : ce philosophe qui ne jure que par la raison est convaincu d'être investi d'une mission divine : « Le dieu m'a ordonné de vivre en philosophant, en faisant l'examen de moi-même et d'autrui » (*Apologie*, 28e). Il est convaincu d'agir par la seule volonté de ce dieu qu'il ne nomme pas mais dont il dit lors de son procès : « Je n'agis ainsi, je vous le répète, que pour accomplir l'ordre que le dieu m'a donné par la voix des oracles, par celle des songes et par tous les moyens qu'aucune autre puissance céleste a jamais employés pour communiquer sa volonté à un mortel » (*Apologie*, 33c). D'ailleurs, même le résultat de son enseignement dépend de cette seule volonté divine : « Ceux qui s'attachent à moi, bien que certains d'entre eux paraissent au début complètement ignorants, font tous, au cours de leur commerce avec moi, si le dieu le leur permet, des progrès merveilleux, non seulement à leur jugement, mais à celui des autres » (*Théétète*, 150d). Sera-t-il condamné à mort ? Il ironise devant ses juges, leur révèle qu'il ne sera peut-être pas le dernier envoyé des dieux : « Vous me ferez mourir sans scrupule ; et, après, vous retomberez pour toujours dans un sommeil léthargique, à moins que la divinité, prenant pitié de vous, ne vous envoie encore un homme qui me ressemble... » (*Apologie*, 31a).

Quel est son statut ? Socrate se reconnaît philosophe : « Tant que je respirerai et que j'aurai un peu de force, je ne cesserai de m'appliquer à la philosophie » (*Apologie*, 29d). Il a plus de scrupules à se déclarer maître : « Je n'ai jamais été le maître de personne, mais si quelqu'un, jeune ou vieux, a désiré s'entretenir avec moi, et voir comment je m'acquitte de ma mission, je n'ai refusé à personne cette satisfaction » (*Apologie*, 33a). Il se considère certainement comme « l'interprète de l'oracle » dont la mission est de faire voir aux Athéniens qu'ils « ne sont pas sages » (*Apologie*, 23b). Un interprète tout simplement humain ? Au cours de son procès, il déclare : « Il y a quelque chose de plus qu'humain à avoir négligé pendant tant d'années mes propres affaires pour m'attacher aux vôtres en vous prenant chacun en particulier, comme un père ou un frère aîné pourrait faire, et en vous exhortant sans cesse à vous appliquer à la vertu » (*Apologie*, 31a-b).

Socrate se présente donc comme un simple mortel missionné par la divinité, et cette mission a quelque chose de surhumain. Et, quoi qu'il en soit, il se perçoit d'abord comme citoyen d'Athènes, sans doute même le seul citoyen véritable d'une ville dont il est incapable de s'éloigner ne serait-ce que provisoirement, le seul à se dévouer pleinement à sa cité. Quand, sous la plume de Xénophon, Antiphon lui demande : « Comment peux-tu te prétendre le seul Athénien à faire de la politique, alors qu'on ne te voit jamais en aucune assemblée et que tu ne participes à rien ? », il répond superbement : « En formant des hommes capables de les conduire » (*Mémorables*, 1, 6, 15).

L'être humain éveillé

Les textes du bouddhisme ancien montrent que Siddhârta semble n'avoir nourri, à partir de son Éveil, aucun doute sur son statut : il est un bouddha, successeur des bouddhas qui l'ont précédé, prédécesseur des bouddhas qui lui succéderont. Le Bouddha n'est pas un dieu, mais il est supérieur aux dieux dans la mesure où il a atteint l'Éveil et échappé au samsara, ce qui n'est pas le cas des dieux du panthéon bouddhiste. Certes, ces derniers, qui habitent un plan supérieur de l'échelle du monde, ont, grâce à leurs mérites accumulés dans des vies antérieures, des pouvoirs supérieurs à ceux des humains, et une vie sans entraves, mais seule une renaissance dans la condition humaine leur permettra un jour d'accéder à l'Éveil, stade ultime de l'évolution spirituelle des êtres.

Qu'est-ce qu'un bouddha ? Ce mot, tiré de la racine sanskrite « budh », signifie littéralement « s'éveiller » ou « qui s'est éveillé ». Un bouddha est donc une personne qui, au terme de ses réincarnations successives, a accédé à la pure sagesse, à la *boddhi* : l'illumination, la compréhension, la connaissance profonde. Cet être-là, pleinement conscient, a connu, en accédant à l'Éveil, sa nature ultime, dite la « nature du bouddha » ; il s'est libéré du samsara et a atteint le nirvana, dont la seule définition que l'on peut donner est l'au-delà de la souffrance, la liberté complète enfin atteinte.

Dès lors qu'il a connu cette profonde transformation intérieure, le Bouddha est conscient de son nouveau statut. Cependant, l'Éveillé refuse d'être considéré comme un être surnaturel, et de devenir sujet d'adoration. Tout au long de sa vie il répétera que son enseignement est fondé sur son expérience, et que celle-ci seule lui a permis de s'affranchir du samsara. Dans le Grand Discours sur la destruction de la soif du désir (*Majjhima Nikaya*, 38), il insiste sur le fait que la purification par le biais de la méditation est seule apte à donner naissance en chacun à un nouvel être. Autrement dit, pour connaître à leur tour l'Éveil, il suffit à ses disciples de suivre sa voie, qu'il n'a d'ailleurs pas inventée : c'est « une voie très ancienne que des êtres humains ont parcourue à une époque reculée » (*Samyutta Nikaya*, 12, 65), qui avait été enseignée par d'autres bouddhas jusqu'à ce que ces enseignements soient oubliés. Une voie qui ne requiert aucune intervention surnaturelle.

D'après les textes, le Bouddha rejetait tout culte de la personnalité. Un épisode reste néanmoins surprenant. Dans les jours qui ont précédé son premier sermon, dit la tradition pali, avant même que ne se forme le *sangha*, deux frères commerçants de Rangoon, Tapussa et Bhallika, voient le Bouddha sous son arbre et sont aussitôt frappés par l'aspect de ce sage qui, de toute évidence, a atteint un stade supérieur de la connaissance. Ils s'entretiennent avec lui et deviennent, selon la tradition, ses deux premiers disciples laïcs. Puis, avant de prendre congé pour poursuivre leur route, ils lui demandent : « Pourriez-vous nous donner quelques-uns de vos cheveux afin que nous rapportions chez nous quelque chose de vous à vénérer ? » Le Bouddha leur remet huit cheveux. Cette relique se trouverait aujourd'hui dans la majestueuse pagode Shwedagon, à Rangoon (Birmanie), gigantesque complexe entièrement recouvert de feuilles d'or dont le *stupa* principal, renfermant ces huit cheveux, est surmonté d'une sphère d'or incrustée de 4 350 diamants et d'une grosse émeraude de 76 carats. Quand la situation politique birmane le permettait encore, des bouddhistes du monde entier – et de toutes les écoles – affluaient pour vénérer ces « saintes reliques ». Une phrase du Bouddha, mise en avant par la tradition Theravada, est tout aussi étonnante que cet épisode. « Celui qui me voit, voit le dharma. Celui qui voit le dharma, me voit », aurait dit le Bouddha dans un discours rapporté dans le *Samyutta Nikaya.* En se confondant ainsi avec la Voie, l'Éveillé ne suggère-t-il pas qu'il possède en lui un élément qui le différencie des autres humains, qui lui confère un statut singulier et universel ? La question reste débattue au sein du bouddhisme. Cette phrase n'est pas sans rappeler celle que prononce Jésus en réponse à Thomas qui lui avait demandé : « Comment saurions-nous le chemin ? » Et Jésus de répondre :

« Je suis le Chemin, la Vérité et la Vie. Nul ne vient au Père que par moi. Si vous me connaissez, vous connaîtrez aussi mon Père ; dès à présent vous le connaissez et vous l'avez vu » (Jean, 14, 6-7).

Le Fils de l'homme

Le discours de Jésus sur lui-même, tel que nous le rapportent les quatre Évangiles, embrasse une large palette d'identités. Les disciples ont pris d'emblée ce prédicateur itinérant pour un maître qui « parcourait les villages à la ronde en enseignant » (Marc, 6, 6) – un « rabbi », ainsi qu'ils le nomment en signe de respect[1]. Ce titre, Jésus l'assume pleinement, se posant même clairement comme le seul « maître » (Matthieu, 23, 8). Mais il va plus loin et se proclame lui-même « prophète » en faisant référence à la grande tradition biblique au sein de laquelle s'enracine la notion de prophétie. Les prophètes sont des êtres humains choisis par Dieu pour parler au peuple d'Israël, l'enseigner et le ramener dans le droit chemin. Quand il revient à Nazareth et se heurte au scepticisme de ses habitants, il leur rétorque : « Un prophète n'est méprisé que dans sa patrie, dans sa parenté et dans sa maison » (Marc, 6, 4). Plus tard, quand les pharisiens le préviennent

1. Jusqu'à la fin du Ier siècle, le titre de « rabbi » est donné à ceux qui détiennent un savoir, en signe de respect. Il ne prendra sa signification actuelle qu'après la chute du Temple, en 70, puis la constitution du judaïsme rabbinique sous l'impulsion de Johanan ben Zakaï, un rabbin exilé à Jamnia.

qu'Hérode veut le tuer, il explique qu'il doit poursuivre sa route, « car il ne convient pas qu'un prophète périsse hors de Jérusalem » (Luc, 13, 33). Il s'adressera d'ailleurs à la ville en ces termes : « Jérusalem, Jérusalem, toi qui tues les prophètes et lapides ceux qui te sont envoyés, combien de fois j'ai voulu rassembler tes enfants à la manière dont une poule rassemble sa couvée sous ses ailes... et vous n'avez pas voulu » (Luc, 13, 34).

Jésus revendique aussi un titre encore plus important pour les juifs que celui de rabbi ou de prophète : celui de Messie. Ce sont les démons exorcisés par Jésus qui font cette révélation. Et il est aussitôt précisé par Luc, qui rapporte cet épisode : « Mais, les menaçant, il ne leur permettait pas de parler, parce qu'ils savaient qu'il était le Christ » (4, 41). Christ, du grec *Christos*, qui signifie « l'Oint » de Dieu, est la traduction en grec du mot hébreu *Mashia'h*, Messie. Dans la tradition biblique, le Messie est un homme issu de la lignée de David qui amènera une ère de paix et de bonheur dont bénéficieront toutes les nations du monde. À l'époque où vit Jésus, l'attente messianique est d'autant plus forte qu'on espère que ce dernier, lorsqu'il viendra, libérera Israël du joug de l'occupant romain. Jésus revendique le titre de Messie en présence de ses plus proches disciples. À Césarée, quand il demande à Pierre : « Qui les hommes me disent-ils être ? », celui-ci lui cite des figures prophétiques : Jean-Baptiste, Élie, Jérémie. Alors Jésus insiste : « Et vous, que dites-vous ? Pour vous, qui suis-je ? » Pierre s'exclame : « Tu es le Messie, le Fils du Dieu vivant ! » Dans cet épisode attesté par les trois Évangiles synoptiques, Jésus ordonne alors à ses disciples de ne révéler à personne son identité messianique, sans pour autant refuser ce titre, le plus élevé que les juifs puissent conférer à un homme (Luc, 9, 18-21). Il l'utilise une nouvelle fois pour se désigner quand il déclare à ses disciples : « Quiconque vous donnera à boire un verre d'eau pour ce motif que vous êtes au Christ, en vérité, je vous le dis, il ne perdra pas sa récompense » (Marc, 9, 41). Et enfin, quand il comparaît devant le Sanhédrin, Jésus est interrogé par le grand prêtre sur cette expression : « Tu es le Christ, le Fils du Béni ? – Je le suis, et vous verrez le Fils de l'homme siégeant à la droite de la Puissance et venant avec les nuées du ciel », lui répond Jésus (Marc, 14, 61-62). Présent dans les quatre Évangiles, ce titre messianique, accolé au prénom de Jésus, devient un nom propre dans les autres livres du Nouveau Testament, où le Ressuscité est presque exclusivement désigné sous les noms de Christ, Jésus-Christ ou Seigneur Jésus-Christ.

À l'instant de la mort de Jésus, un centurion se serait exclamé : « Vraiment cet homme était fils de Dieu » (Marc, 15, 39). Il n'aura pas été le premier à formuler une telle remarque : « Tu es le fils de Dieu », avaient vociféré les démons qui sortaient des possédés exorcisés par Jésus au début de sa prédication. De fait, il appelle volontiers Dieu son père (*abba*), dont il est l'envoyé et qui lui a conféré, à ce titre, ses pouvoirs extraordinaires[1].

---

1. Le mot araméen *abba* sera très tôt utilisé par tous les chrétiens, y compris ceux de langue grecque, dans leurs prières. Les chercheurs sont unanimes à considérer que cet usage surprenant ne peut s'expliquer que par la volonté de préserver une tradition instaurée par Jésus.

« Tout m'a été remis par mon Père, et nul ne connaît le Fils si ce n'est le Père, et nul ne connaît le Père si ce n'est le Fils et celui à qui le Fils veut bien le révéler », confie-t-il à son cercle de disciples (Matthieu, 11, 27). Dans la Bible, l'appellation *Beni Elohim*, littéralement « fils de Dieu », est aussi donnée aux anges, créatures les plus proches de Dieu.

Jésus manifeste aussi sa proximité particulière avec Dieu en se désignant comme « l'époux ». À l'occasion d'un jeûne auquel participent les pharisiens et les disciples de Jean-Baptiste, mais que ses propres disciples ont rompu, il s'exclame en réponse à ceux qui lui en font reproche : « Les compagnons de l'époux peuvent-ils jeûner pendant que l'époux est avec eux ? Tant qu'ils ont l'époux avec eux, ils ne peuvent pas jeûner. Mais viendront des jours où l'époux leur sera enlevé ; et alors ils jeûneront en ce jour-là » (Marc, 2, 19-20). Or, dans la tradition biblique, magnifiquement illustrée dans le Cantique des cantiques, l'époux est Dieu dans sa relation avec son peuple. La plupart des exégètes excluent toutefois l'hypothèse que Jésus ait, par cette expression, voulu signifier son statut divin. car tout au long des Évangiles il insiste sur le fait qu'il est l'envoyé de Dieu, et non Dieu lui-même : « Quiconque m'accueille, ce n'est pas moi qu'il accueille, mais Celui qui m'a envoyé » (Marc, 9, 37). Ce qui ne l'empêche pas, comme nous l'avons vu, de se présenter comme l'unique médiateur conduisant à Dieu et au salut : « Je suis le Chemin, la Vérité et la Vie. Nul ne vient au Père que par moi » (Jean, 14, 6).

Mais l'expression la plus utilisée par Jésus pour parler de lui-même est celle de « Fils de l'homme ». Dans les quatre Évangiles, cette formule assez énigmatique revient soixante-dix fois dans la bouche de Jésus, mais ne figure qu'une seule fois dans le reste du Nouveau Testament (Actes, 7, 56). Pour en comprendre le sens, il faut se référer à l'Ancien Testament, où l'expression, pour être assez fréquente, revêt au moins trois sens différents. Dans les Psaumes, elle désigne l'homme ordinaire, avec ses limites : « À voir ton ciel, ouvrage de tes doigts, la lune et les étoiles, que tu fixas, qu'est-ce que l'homme pour que tu penses à lui, le fils de l'homme, que tu en prennes souci ? » (Psaume 8). Chez le prophète Ézéchiel, le Fils de l'homme (Fils écrit avec une majuscule, comme dans les Évangiles) définit typiquement la fonction prophétique. « Il me dit : Fils de l'homme, tiens-toi sur tes pieds, et je te parlerai. Dès qu'il m'eut adressé ces mots, l'esprit entra en moi et me fit tenir sur mes pieds ; et j'entendis celui qui me parlait. Il me dit : Fils de l'homme, je t'envoie vers les enfants d'Israël, vers ces peuples rebelles qui se sont révoltés contre moi ; eux et leurs pères ont péché contre moi jusqu'au jour même où nous sommes. Ce sont des enfants à la face impudente et au cœur endurci ; je t'envoie vers eux, et tu leur diras : Ainsi parle le Seigneur, l'Éternel » (Ézéchiel, 2, 1-4). Enfin, dans le livre de Daniel, il est fait mention d'un Fils d'homme à qui Dieu donne tout pouvoir sur les nations, ce qui correspond au statut messianique : « Je regardais dans les visions de la nuit, et voici que sur les nuées vint comme un Fils d'homme ; il s'avança jusqu'au vieillard, et on le vit approcher devant lui. Et il lui fut donné domination, gloire et règne, et tous les peuples, nations et langues, le servirent. Sa domination est une domination éternelle qui ne passera point, et son règne ne sera jamais détruit » (Daniel, 7, 13-14[1]). Quand Jésus se désigne comme « Fils de l'homme », que veut-il dire ? Il est fort possible qu'il s'attribue les trois sens bibliques de cette expression : il est un homme comme tous les autres, il est un prophète, et il est le Messie annoncé par Daniel. De fait, les propos qu'il tient lorsqu'il se qualifie de la sorte sont souvent en relation avec la mission messianique et l'annonce de la venue du Règne de Dieu. Ainsi, quand il déclare avoir « le pouvoir de remettre les péchés sur la terre » (Marc, 2, 10), quand il se dit « maître même du sabbat » (Marc, 2, 28), ou lorsqu'il annonce le temps de la fin, où « on verra le Fils de l'homme venant dans des nuées avec grande puissance et gloire » (Marc, 13, 26), ou encore qu'il prophétise sa résurrection « après trois jours » (Marc, 8, 31).

1. Traduction de Louis Second, pour ces trois textes.

10

Ce que dit la tradition plus tardive

Que sont maintenant devenues, au fil des siècles, les figures de Socrate, du Bouddha et de Jésus dans la tradition philosophique occidentale, la tradition bouddhiste et la religion chrétienne ?

Les trois corps du Bouddha

Quand le Bouddha meurt, à l'âge de quatre-vingts ans, sept jours d'hommages lui sont rendus par le cercle très élargi de ses disciples et de ceux qui ont reconnu sa voie, puis son corps est incinéré. Sa notoriété est alors suffisamment établie et son message assez largement répandu pour que cette incinération donne lieu à des tensions qui manquent de peu de dégénérer en « guerre des reliques ». L'Éveillé avait certes mis en garde contre la vénération de sa personne, recommandant à maintes reprises aux siens : « À ma mort, soyez votre propre île, votre propre refuge, n'ayez pas d'autre refuge. » Le sutra *Mahaparinirvana* du canon pali rapporte cependant que, dans un ultime échange avec son compagnon et disciple Ananda, le Bouddha lui explique les démarches à suivre en vue de l'incinération de son corps, et qui se concluent ainsi : « À un carrefour, on devra élever un *stupa*. Et quiconque y apportera des fleurs ou de l'encens ou de la pâte de bois de santal, ou fera des génuflexions, et dont l'esprit s'apaisera en ce lieu, ce sera pour son bien-être et son bonheur » (5, 26 et 6, 24). Ce même sutra rapporte les âpres négociations qui ont préludé au partage des cendres de l'Éveillé. Celles-ci sont finalement réparties en huit tas égaux, envoyés dans huit royaumes au sein desquels des *stupa* – des monuments où les reliques des grands maîtres sont enfermées pour être vénérées par les fidèles – ont été érigés pour les recueillir. Une légende ultérieure veut qu'au IIIe siècle avant notre ère l'empereur Ashoka ait retrouvé ces *stupa* et partagé de nouveau les cendres pour ériger… 84 000 reliquaires !

Très vite, les disciples s'affairent à rassembler les paroles et les témoignages de la vie de leur maître. Le matériel recueilli est abondant. Cinq cents *arhat* – des fidèles ayant éteint jusqu'à l'ultime grain de passion en eux – se réunissent en concile à la caverne des Sept Feuilles pour établir un premier canon dont il ne nous reste aucune trace historique et dont chaque école présente aujourd'hui sa propre version. La communauté ne connaît pas d'autorité centrale qui servirait de rempart contre les hérésies, mais elle est néanmoins soucieuse de préserver son unité, garante de la perpétuation des enseignements. Or des divergences apparaissent rapidement, touchant notamment à l'extrême exigence de la voie de l'*arhat*, cet idéal du saint parfait, dépouillé de toutes ses passions et mûr pour la « vision pénétrante » et l'Éveil. Cette voie est réservée à une infime minorité. Ne faudrait-il pas plutôt assouplir les règles de l'exigence monastique pour assurer une large diffusion du dharma ? Deux autres conciles se réunissent au milieu du IVe siècle avant notre ère, à Vaisali puis à Pataliputra, où le moine Mahadeva rallie la majorité en établissant que la perfection de l'*arhat* est illusoire. Il en veut pour preuve les rêves érotiques qui surviennent chez beaucoup d'entre eux, signe que leurs désirs ne sont pas complètement éteints. Ce premier grand schisme aboutit à la création de deux grandes tendances qui se subdiviseront elles-mêmes par la suite en plusieurs écoles.

La frange « conservatrice », attachée à l'idéal de l'*arhat* parfait, est appelée la Voie des Anciens : Theravada. De manière un peu méprisante, la majorité bouddhiste, qui se revendique du Grand Véhicule (Mahayana), la nomme le Petit Véhicule (Hinayana), désignant à travers cette appellation la voie étroite, excessivement exigeante et surtout individuelle, que chacun emprunte en vue de sa propre libération.

Les tenants du Theravada décrivent le Bouddha comme un sage bien humain qui a atteint l'Éveil, un enseignant d'exception qui a su adapter son discours à ses différents interlocuteurs, jusqu'à lui donner « 84 000 portes d'entrée ». En mettant ses pas dans les siens, c'est-à-dire en suivant son expérience, un être peut, comme il l'a fait, se libérer du samsara.

Les tenants du Mahayana, qui s'est définitivement épanoui et institué au tournant du Ier siècle de notre ère, proposent une pratique moins austère, offrant aux laïcs la possibilité d'accéder à l'Éveil par la double pratique de la méditation et de la compassion. Cette doctrine se fonde sur les enseignements transmis par le Bouddha, mais également sur des textes postérieurs. Leur idéal n'est pas celui de l'*arhat*, mais du *bodhisattva*, un être exceptionnel qui ne vise pas le nirvana, mais un « Éveil parfait » lui permettant de rester dans le samsara pour délivrer par ses enseignements tous ceux qui continuent de souffrir. C'est en raison de cette compassion vécue, de cette « grandeur », que le nom de Grand Véhicule a été donné à cette voie. Pour les mahayanistes, le Bouddha n'est pas un enseignant unique : il y a des milliers d'autres bouddhas, aussi nombreux que les grains de sable du Gange, dans les différents plans d'existence, et chaque être doit faire son possible pour devenir un bouddha – but que beaucoup ont donc déjà atteint.

Dans ce cas, qu'est-ce qu'un bouddha, et plus précisément qui est le Bouddha historique ? Selon le Mahayana, Gautama n'est pas un simple humain – affirmation considérée comme une hérésie au regard du Theravada. Il est la manifestation, dans un « corps de métamorphose », d'un bouddha cosmique. Pour comprendre ce qu'est ce « corps », il faut rendre compte de la doctrine du *trikaya*, autrement dit des « trois corps » du Bouddha, développée par le Mahayana. Ces trois corps coexistent dans le Bouddha comme dans tous les bouddhas. Le premier corps, le plus subtil, dénué de toute forme, est le *dharmakaya*, littéralement le corps de dharma : c'est un corps éternel, unique, cosmique, on pourrait dire celui d'un bouddha primordial, qui représente la dimension de vacuité de l'Éveil et que seul peut percevoir l'être accompli qui s'est pleinement libéré du samsara. Le deuxième, le *sambhogakaya*, littéralement le corps de rétribution, est un reflet du *dharmakaya* ; il apparaît grâce à l'accumulation des mérites et permet aux *bodhisattva* d'accomplir leur bouddhéité ; c'est un corps parfait (« doté des cinq perfections », selon la formule usitée) qui a la faculté de sauver du cycle des réincarnations tous ceux qui parviennent à le voir. Enfin, le troisième est le *nirmanakaya*, un corps de manifestation (ou d'émanation), par exemple celui qu'a choisi le Bouddha, par compassion envers les autres êtres, pour renaître prince Siddharta, devenu Gautama. Ces deux derniers corps, le *sambhogakaya* et le *nirmanakaya*, qui sont deux manifestations plus « grossières » du bouddha primordial, forment ensemble le *rupakaya*, le corps perceptible. Signalons par ailleurs que dans les sutras du Theravada des « Anciens », le terme *dharmakaya* apparaît fréquemment ; il ne représente pas un corps cosmique, mais le corpus des enseignements qui survit à la mort terrestre du Bouddha. Il n'est donc théoriquement pas question, pour les fidèles de cette école, de soustraire le Bouddha à son humanité ni de lui accorder des qualités qui ne sont pas de ce monde.

De nos jours, les pratiques dévotionnelles s'adressant en premier lieu au Bouddha sont répandues dans tous les pays de tradition bouddhiste. Le Bouddha y est de fait divinisé. Il faut dire que le bouddhisme populaire, y compris celui qui est pratiqué dans les temples du Petit Véhicule, offre un foisonnement de dieux, de démons, de *bodhisattva*. Sous toutes ces représentations, en particulier celles du Bouddha, les offrandes s'entassent, et les fidèles viennent implorer une aide, une protection surnaturelle. Les hiérarchies sont très tolérantes envers toutes ces pratiques, qu'elles considèrent comme un soutien permettant aux pratiquants de progresser sur la Voie. Gautama ne voulait pas susciter l'idolâtrie ; malgré cela, parce que les hommes sont ainsi faits, il n'a pas échappé à la vénération, voire à la divinisation...

L'homme-Dieu

Les premiers textes chrétiens affirment qu'un événement déterminant intervient cinquante jours après la mort et la résurrection de Jésus, alors que ce dernier a cessé d'apparaître aux disciples depuis une dizaine de jours. Un bruit énorme ébranle les murs d'une maison où sont réunis les apôtres. Des langues de feu apparaissent et se posent sur chacun d'eux : « Tous furent alors remplis de l'Esprit-Saint et commencèrent à parler en d'autres langues, selon que l'Esprit leur donnait de s'exprimer » (Actes, 2, 4). À la foule qui se précipite, Pierre annonce : « Dieu l'a fait Seigneur et Christ, ce Jésus que vous, vous avez crucifié » (Actes, 2, 36). Et les apôtres entament aussitôt leur prédication « au nom du Père, du Fils et du Saint Esprit » (Matthieu, 28, 19). Ainsi naît l'Église, à Jérusalem. Une Église foncièrement juive, dont les communautés se réunissent pour entendre les paroles de Jésus, Fils de Dieu, et les récits de sa vie, rapportés par ceux qui l'ont côtoyé. Et elles attendent son retour. Jésus est « la pierre de faîte » de leur foi (Marc, 12, 10), et l'expression « le Seigneur c'est Jésus-Christ » devient ainsi leur profession de foi (Philippiens, 2, 11 ; Romains, 10, 9…).

Ce Jésus qu'ils vénèrent est bien plus qu'un homme : il est le Fils unique de Dieu, celui que « Dieu envoya […], né d'une femme, né sujet de la Loi, afin de racheter les sujets de la Loi, afin de nous conférer l'adoption filiale », ainsi que l'écrit Paul dans son épître aux Galates (4, 4-5). Et il développe l'idée, devenue centrale, de la mort de Jésus pour la rédemption du monde : « Le Christ est mort pour nos péchés » (1 Corinthiens, 15, 3). Il faudra néanmoins attendre un autre événement déterminant, la destruction du Temple de Jérusalem et la rupture avec le monde juif, pour que ceux que l'on appelle déjà à Antioche, selon les Actes des apôtres, les *christianoi,* littéralement « partisans du Christ » (11, 26), engagent leur réflexion sur une nouvelle piste : et si Jésus était l'incarnation de Dieu ?

Dans son prologue, l'Évangile de Jean, inaugure un tournant majeur dans la christologie : il ne se contente plus d'affirmer la messianité et la filiation divine de Jésus, il dit la divinité du Christ. Jésus, sous la plume de Jean, est le Logos, le Verbe, qui est au commencement de tout, par qui tout s'est fait (1, 1-3) et qui « s'est fait chair » (1, 14). Il est antérieur à son incarnation, antérieur même à la création du monde, donc éternel : il est de nature divine. Dans l'Alexandrie de la fin du IIe siècle, où les chrétiens de culture grecque sont familiers avec la notion de *logos* définie par les philosophes comme une rationalité gouvernant le monde selon le plan divin, cette conception est tout de suite admise et bien vite développée au sein de la Didascalée, qui est alors l'une des plus célèbres écoles de théologie. Clément d'Alexandrie, successeur de Pantène à la direction de cette école, affirme clairement : « Le Fils est dans le Père et le Père est dans le Fils », ajoutant que Dieu et le Christ-Logos « ne sont qu'une seule et même chose, Dieu »[1].

Nous voyons ainsi l'évolution rapide, en quelques générations, de la perception de Jésus chez les penseurs chrétiens. Cependant, la thèse alexandrine de la double nature du Christ, à la fois humaine et divine, ne va pas sans susciter des remous. Et le mot est faible au regard des querelles, stigmatisations, accusations d'hérésie, exclusions et schismes qui marqueront profondément les cinq premiers siècles du christianisme.

Mais revenons à la fin du IIe siècle. Tandis que les Alexandrins promeuvent la notion de *Logos*, plusieurs doctrines contestataires voient le jour, à commencer par le docétisme, proche de la gnose, mentionné et combattu par Clément d'Alexandrie, qui voit en l'incarnation, c'est-à-dire dans le corps humain du Jésus historique, une illusion, puisque le Christ est Dieu. En réaction, les adoptiannistes vont dans le sens inverse : pour eux, Jésus est pleinement homme, et il n'a été adopté par Dieu que dans un second temps. À peu près dans la même logique, les théodotiens précisent que Jésus a reçu le Saint-Esprit le jour de son baptême, mais qu'il a acquis sa nature divine après la Résurrection (cette doctrine sera condamnée par le

1. *Pédagogue*, 1, 5 et 1, 8.

pape Victor en l'an 198). Citons également les modalistes ou monarchianistes, dont la doctrine connaîtra une immense popularité, y compris auprès de certains évêques. Pour eux, Dieu et Jésus sont une seule et même personne, et c'est donc Dieu qui a été crucifié. L'un des Pères de l'Église, Tertullien (v. 160-v. 240), les accusera de rendre service au Diable en « crucifiant le Père[1] ». L'Église de Rome, dont la primauté est reconnue par les autres Églises depuis la disparition, en 70, de l'*ekklesia* jérusalémite, élabore au même moment sa profession de foi, laquelle sera reprise presque à l'identique au concile de Nicée en 325. Celle-ci stipule : « Je crois en Dieu, Père tout-puissant, et en Jésus-Christ, son Fils unique, notre Seigneur, né du Saint-Esprit et de la Vierge Marie, crucifié sous Ponce Pilate et enseveli, ressuscité des morts le troisième jour, monté aux cieux, assis à la droite du Père d'où il viendra juger les vivants et les morts, et au Saint-Esprit, à la sainte Église, à la rémission des péchés, à la résurrection de la chair[2]. »

Au IIIe siècle, alors que les chrétiens subissent de terribles persécutions dans l'Empire romain, leurs querelles théologiques s'aggravent. Elles portent désormais non seulement sur la nature du Christ, mais également sur le mystère de sa relation aux deux autres personnes divines, le Père et le Saint-Esprit. L'arianisme, qui tire son nom du prêtre alexandrin Arius, menace particulièrement la doctrine officielle en raison de sa

---

1. *Contre Praxéas ou sur la Trinité*, 1.
2. Traduction de Léon Duchesne, in *Histoire ancienne de l'Église* (1911), p. 505.

diffusion considérable – à travers des lettres, mais surtout dans des chants populaires qu'Arius compose, repris par les marins du port et par les voyageurs, ainsi que l'écrira un siècle plus tard Philostorge dans son *Histoire ecclésiastique*, en précisant : « C'est par le plaisir qu'il leur faisait trouver à ses mélodies qu'il attirait à sa propre impiété les hommes les plus ignorants[1]. » Selon Arius, le Fils ou Logos étant engendré par le Père, le Fils n'est pas Dieu, mais Dieu en second, un intermédiaire entre le Père et la Création, engendré avant les créatures pour en être le créateur. « Celui-ci [le Fils] n'a rien de propre à Dieu selon la substance qui lui est propre, car il n'est pas égal à Lui, ni même consubstantiel », écrit-il dans l'un de ses cantiques. Selon lui, Jésus n'en est pas homme pour autant. Le Verbe s'est certes uni à la chair, mais il ne s'est pas fait homme, dans la mesure où cette chair n'était pas habitée par une âme humaine, mais par le Dieu second. Excommunié par l'Église d'Alexandrie, Arius se réfugie à Césarée, où il reçoit le soutien d'Eusèbe et de nombreux évêques orientaux, tandis que ses détracteurs se recrutent surtout parmi les ecclésiastes latins rassemblés autour d'Athanase, l'évêque d'Alexandrie.

Soucieux de maintenir la paix civile, l'empereur Constantin prend l'initiative de réunir un premier concile œcuménique à Nicée, en 325, pour fixer les termes du

1. *L'Histoire ecclésiastique de Philostorge*, 2, 2. Des douze volumes rédigés par Philostorge, consacrés à une période allant des débuts de la controverse arianiste jusqu'à 425, il ne subsiste que la compilation réalisée au IXe siècle par le patriarche Photius de Constantinople.

dogme de la Trinité. Après des semaines de débats houleux, l'empereur impose le Symbole dit de Nicée, qui décrète que Jésus-Christ est « le Fils unique de Dieu, né du Père comme Fils unique, c'est-à-dire né de la substance du Père, Dieu né de Dieu, lumière née de la lumière ». Arius est déclaré hérétique et exilé, de même que deux évêques qui refusent de signer la profession de foi.

En 379, Théodose Ier, successeur de Constantin, destitue plusieurs évêques orientaux qu'il soupçonne d'arianisme, et convoque un deuxième concile œcuménique qui se tient à Constantinople en 381. Il confirme le Symbole de Nicée en lui adjoignant une formulation sur le Saint-Esprit. Sa formulation du dogme trinitaire constitue une victoire pour l'Église d'Alexandrie : « Le Fils unique de Dieu est vrai Dieu de vrai Dieu, engendré non pas créé, de même substance que le Père. L'Esprit procède du Père et du Fils, il est adoré et glorifié ensemble avec le Père et le Fils. » Ainsi est affirmée l'existence d'un Dieu unique et de trois personnes qui n'existent chacune qu'en relation avec les deux autres, agissant de manière indivisible. Jésus, qui est la deuxième personne de la Trinité, possède ainsi deux natures, une nature divine et une nature humaine. Il est à la fois pleinement homme et pleinement Dieu.

Le christianisme n'est pas pour autant pacifié : le mystère du Christ continue d'interpeller les théologiens, mais aussi la foule des fidèles, qui se livrent à de véritables empoignades et organisent manifestations et contre-manifestations, cette fois autour de la « substance » du Fils. Comment expliquer la double nature, humaine et divine, du Verbe incarné ? Le vieux débat sur la Trinité resurgit : le Fils est-il vraiment de la même substance que le Père ? Est-il son égal ? Le moine persan Nestorius, nommé en 428 évêque de Constantinople, donne le ton, dans son premier sermon de Noël, en affirmant que Marie n'est pas la mère de Dieu, thèse retenue par l'Église officielle, mais de Jésus « le Fils et Seigneur », ce qui revient à nier la divinité de Jésus. Puis il explicite sa pensée : la nature du Fils, dit-il, est double ; le Christ est une personne humaine habitée par le Logos. En face de lui, l'école d'Alexandrie affirme le monophysisme : elle estime que le Christ est doté d'une seule nature qui a absorbé sa nature humaine au moment de sa conception.

En juin 431, l'empereur Marcien, pressé par Cyrille, patriarche d'Alexandrie, qui en fait une affaire personnelle contre son rival Nestorius, patriarche de Constantinople, réunit un concile à Éphèse. Cyrille arrive le premier et distribue à l'entourage de l'empereur ses « bénédictions » sous forme de coûteux présents : des tapis, des livres, de l'or, des sièges d'ivoire... Il ouvre (et clôt) le concile avant l'arrivée de Nestorius et de la délégation antiochienne, déchoit le patriarche de Constantinople et condamne sa thèse. L'évêque Jean d'Antioche, arrivé le lendemain, ouvre à nouveau le concile et condamne à son tour Cyrille, dont la thèse sur la nature du Christ s'écarte de l'orthodoxie romaine. Dans les rues, les partisans des deux camps, surtout les prêtres et les moines, en viennent aux mains. Éphèse s'achève sans déclaration ni résolution, les anathèmes sont lancés, une grave division menace le christianisme... au nom du Christ !

En 451, un concile réuni à Chalcédoine renvoie dos à dos nestorianisme et monophysisme, et décrète : « Nous enseignons tous d'une seule voix un seul et même Fils, Notre Seigneur Jésus-Christ, le même parfait en divinité, le même parfait en humanité, le même Dieu vraiment et homme vraiment, d'une âme raisonnable et d'un corps, consubstantiel à nous selon l'humanité, semblable à nous en tout, hormis le péché. Nous reconnaissons [en lui] deux natures sans confusion ni changement, sans division ni séparation. Nous confessons non pas un Fils partagé ou divisé en deux personnes, mais un seul et même fils, monogène : Seigneur Jésus-Christ, comme jadis l'ont annoncé les prophètes, comme Jésus-Christ lui-même nous en a instruits, et comme le symbole des Pères nous l'a transmis. » Le concile confirme ainsi le fait que le Christ est pleinement Dieu et pleinement homme, et c'est cette profession de foi qui est aujourd'hui reconnue par une immense majorité de chrétiens.

Cette déclaration « orthodoxe » entraîne le premier grand schisme de la chrétienté. L'Église d'Alexandrie, dont le patriarche Dioscore est déposé et exilé, fait sécession pour rester fidèle au monophysisme, et prend le nom d'Église copte. L'Église jacobite d'Antioche (dite syrienne orthodoxe), l'Église arménienne et l'Église syro-malabare indienne la rejoignent. Les disciples de Nestorius se regroupent pour leur part dans une Église nestorienne, méconnue mais qui a survécu aux siècles. Il en subsiste aujourd'hui quelques communautés au Moyen-Orient, notamment en Irak.

Le père de la philosophie

À la mort de Socrate, une rumeur reprise par Diogène Laërce nous dit que ses accusateurs furent bannis d'Athènes et que les Athéniens « honorèrent Socrate d'une statue de bronze, œuvre de Lysippe, placée au Pompéion ». Laërce cite également des vers qu'Euripide aurait composés en l'honneur de Socrate dans le *Palamède*, une œuvre dont on n'a jamais retrouvé la trace : « Vous l'avez tué, vous avez tué le très sage, l'innocent rossignol des Muses. » La réalité est sans doute moins glorieuse. L'hostilité des notables athéniens envers les disciples du maître s'est poursuivie pendant des années, et il semble que son exécution ait été considérée comme un événement mineur dans la cité, sauf par ses proches et par ce que l'on appellerait aujourd'hui le « milieu intellectuel ». Pour la masse, il ne s'agissait que d'un procès politique destiné à rétablir l'ordre. Mais, pour ses disciples, il fut aussitôt évident qu'une personnalité incomparable avait été sacrifiée sur l'autel de l'injustice. Cette mort, pourtant, a sans doute contribué à sa renommée. Tous les philosophes qui succéderont à Socrate feront référence à lui soit pour appuyer ses idées, les développer ou s'en inspirer, soit pour les critiquer et les combattre. Socrate est considéré comme le père de la philosophie parce qu'il a su orienter la vie humaine vers la quête de la vérité et de la sagesse. Pour lui, la réalisation de cette quête n'est possible que par les efforts de la raison et par l'introspection. Il est devenu le prototype du « sage », celui qui sait se dominer et mettre en cohérence ses paroles et ses actes. Il a exercé une influence considérable non seulement sur la plupart des philosophes grecs et romains de l'Antiquité, mais aussi parmi des théologiens juifs, chrétiens et musulmans du Moyen Âge. Il a marqué et continue d'inspirer nombre de penseurs modernes, de Montaigne à Foucault en passant par Rousseau ou Nietzsche. On peut même affirmer qu'il a été la clé de voûte de la pensée humaniste qui a forgé l'Occident.

Mais, à l'inverse de ce qui s'est produit pour Jésus et le Bouddha, qui font figure de grands fondateurs de religions, la tradition philosophique moderne a eu tendance à minimiser, voire à occulter l'aspect religieux du personnage, pour ne plus voir en lui qu'un philosophe rationaliste. Que Socrate ait décidé de s'appuyer sur la raison humaine, et sur elle seule, pour philosopher et conduire ses interlocuteurs vers la vérité, c'est entendu. Qu'il ait incité ses contemporains à dépasser les mythes religieux pour chercher en eux-mêmes les clés de la connaissance, c'est certain. En cela il est bel et bien un philosophe humaniste, confiant dans les forces de la raison. Mais n'en faisons pas pour autant, comme cela a été souvent le cas depuis quelques siècles en Occident, un pur rationaliste, ennemi de la religion, ayant le mythe et la spiritualité en horreur, bref, un scientiste matérialiste avant l'heure !

Dans une telle perspective, *quid* de l'oracle de Delphes qui suscita sa vocation philosophique ? *Quid* de son *daïmon*, auquel il ne cesse de faire référence, et de ses extases qui stupéfient son auditoire ? *Quid* aussi de sa religiosité et de ses longs discours sur l'immortalité de l'âme ? Socrate s'appuie sur la raison sans nier pour autant la dimension énigmatique et transcendante de l'existence. Il est rationnel sans être rationaliste. Il est mystique sans être dogmatique. La « déspiritualisation » de Socrate par les Modernes n'est-elle pas tout aussi discutable au regard des textes que la divinisation tardive du Bouddha ?

Deuxième partie

Que nous disent-ils ?

11

Tu es immortel

La mort n'est pas une fin, mais un passage. Aussi bien pour le Bouddha que pour Socrate et Jésus, notre existence terrestre doit se comprendre dans une perspective plus large qui implique une vie après la mort. Tel est le premier point central commun à leur enseignement. L'insistance qu'ils mettent sur la nécessité de développer la vie intérieure, de rechercher la vérité, d'acquérir la sagesse, la justice ou l'amour, ne peut se comprendre que par rapport à cette croyance. Celle-ci, cependant, n'est pas uniforme : l'immortalité dont parlent Socrate, Jésus et le Bouddha n'est pas exactement de même nature. Si, à leurs yeux, nous sommes tous immortels, les modalités de cette immortalité varient en fonction des cultures dans lesquelles ils ont vécu et de l'expérience spirituelle qui fut la leur.

Quitter la ronde des renaissances

Quand le prince Siddhârta entame sa quête, il se rend dans la forêt auprès d'Alara, un maître fort réputé. Celui-ci est stupéfait des progrès foudroyants de son élève et lui propose de diriger le groupe avec lui : « Nous aurons beaucoup de disciples », insiste-t-il[1]. Dans sa réponse, celui qui n'est pas encore le Bouddha résume l'objectif de sa quête – qui sera aussi le but de tous ses enseignements : « Je ne cherche pas à avoir de disciples. Je ne cherche que la fin du cycle des naissances et l'apaisement durable. » Autrement dit, une solution à l'énigme de l'existence, un bonheur qui perdure au-delà du bonheur fugace qu'apportent les biens terrestres, tant dans cette vie que pour celles à venir. Siddhârta est convaincu que cette solution existe et que sa clé est accessible en cette vie même. Il la trouvera lorsqu'il accédera à l'Éveil.

Pour le Bouddha, la vie n'est qu'un cercle de souffrances qui commence à la naissance, ensuite ponctué par « le vieillissement, la maladie, la mort, le chagrin, la souillure » (*Majjhima Nikaya,* 26). Le moyen qu'il propose pour en sortir s'articule autour de trois notions qu'il n'a pas inventées, mais qui avaient déjà, à son époque, été reprises du fonds védique et redéfinies par les ascètes qui auront édifié l'hindouisme et le jaïnisme tels que nous les connaissons aujourd'hui. Elles se résument en trois mots sanskrit : le *karma*, le *samsara*, le *nirvana*.

Pour comprendre ces notions, il convient d'abord de définir ce qu'est le Soi dans l'enseignement du Bouddha – ce Soi qui accumule du karma, le mainte-

1. Cet épisode est rapporté dans le *Lalitavistara*, biographie poétique du Bouddha rédigée en sanskrit probablement au début de notre ère.

nant dans le samsara et l'empêchant d'accéder au nirvana. L'hindouisme postule l'existence d'un Soi permanent, l'*atman* – équivalent de l'âme dans la tradition occidentale –, qui se réincarne jusqu'à la libération définitive de la ronde des renaissances. Dans son premier sermon de Bénarès, le Bouddha, lui, définit l'atman comme une projection mentale et postule un *anatman*, un non-Soi. Selon lui, tout être vivant est un assemblage de cinq éléments en constantes fluctuations : le corps ou la matière, les sensations, les perceptions, les formations de l'esprit et la conscience. Le Soi est donc, par définition, impermanent, mouvant, changeant d'une seconde à l'autre, toujours temporaire, comme sont le feu qui crépite ou l'eau qui coule. Un célèbre dialogue entre le moine bouddhiste Nâgasena et le roi Menandros (Milinda) qui régna au IIe siècle avant notre ère, dans le nord-ouest de l'Inde, permet de mieux appréhender cette notion. Le moine demande au roi de lui définir ce qu'est un chariot, et il lui cite successivement les éléments qui le constituent : le chariot est-il une roue ? un essieu ? une corde ? Est-il l'addition de tous ces éléments ? Est-il autre chose que ces éléments ? Le roi répond par la négative avant de dire au moine que le chariot est l'assemblage, dans un certain ordre, de tous les éléments qu'il a cités. Le moine lui dit alors qu'il en est ainsi du Soi.

Venons-en au karma. Dans la doctrine hindoue, qui le nomme *karman*, il s'agit d'une loi de causalité propre à chaque acte que nous accomplissons, à son intention et à son résultat, qui conditionne la réincarnation de l'atman. Pour le Bouddha, c'est l'intention de l'acte, et non l'acte lui-même, qui détermine sa valeur karmique. Il existe des actes dits purs ou neutres, exempts de tout karma : ce sont les actes courants, comme s'endormir ou se laver, accomplis sans intention positive ou négative. Mais il y a par ailleurs les actes intentionnels (du corps, de la parole ou de la pensée), effectués sous l'effet de la croyance en un Soi, et animés par la soif de devenir personnel. Ils sont dictés par nos désirs et nos aversions : je recherche ce qui m'est désirable, je rejette ce qui m'est désagréable, et, selon que l'acte est nuisible ou bénéfique à autrui, il en ressort une charge karmique, négative ou positive, que nous accumulons et qui nous maintient dans la roue du samsara. Selon le poids du karma qu'il a accumulé, l'individu renaît dans l'une des six sphères d'existence, chacune subdivisées en plusieurs « états de conscience » : celles des dieux, où la vie se chiffre en millions d'années, des « titans » (ou dieux jaloux), des humains (la plus favorable, puisqu'elle seule donne accès à l'Éveil), des animaux, des esprits avides, enfin des enfers. Pour le Bouddha toutefois, comme nous venons de le voir, il n'existe pas un Soi immuable appelé à se réincarner : à la mort d'un individu, les cinq agrégats qui composent le Soi, lourds du poids karmique, se séparent puis se réunissent à nouveau sous ce poids. Forment-ils un Soi identique à celui qui s'est éteint ? Le bouddhisme répond à cette interrogation en donnant l'exemple d'une bougie qui s'éteint et que l'on rallume. Il s'agit certes de la même bougie, de la même cire, de la même mèche, mais peut-on vraiment dire que le feu qui en jaillit est le même que celui qui a été soufflé ?

La seule issue, pour se libérer de la roue du samsara, est le nirvana, appelé *moshka* (délivrance) par les hindous. De cet état de libération ultime, le Bouddha a dit bien peu de chose, si ce n'est que les spéculations à son sujet sont vaines, puisqu'il dépasse les capacités de l'expérience et de l'entendement humains. Il est le « bonheur suprême » (*Dhammapada*, 204), a d'abord dit le Bouddha. Puis, face à l'insistance de ses disciples, il a explicité le concept de nirvana en disant ce qu'il n'est pas : « Il est, ô moines, un domaine où il n'y a ni terre ni eau, ni feu ni vent, ni domaine de l'infinité de la conscience ni domaine du néant, ni domaine sans perception ni absence de perception, ni ce monde-ci ni l'autre monde, ni soleil ni lune. Celui-là, ô moines, je l'appelle le domaine sans allée ni venue, ni temps, ni mort ni renaissance, car il est dépourvu de fondement, de progression et de support : c'est la fin de la douleur » (*Udana*, 8, 1, dit le « Sutra du nirvana »). Le nirvana est l'extinction, mais n'est pas le néant. Il s'agit d'un au-delà de la souffrance. Le Bouddha aura une parole tout aussi elliptique quand, en une autre occasion, ses disciples l'interrogeront sur son devenir après sa propre mort : « Après la mort, un Tathagata à la fois existe et n'existe pas. Après la mort, un Tathagata n'existe ni n'existe pas. Cela seul est la vérité » (*Anguttara Nikaya*, 10, 95).

Le voyage de l'âme immortelle

Quand on lit les dialogues de Platon dans lesquels Socrate développe sa théorie de l'immortalité, en particulier *Phèdre* et le *Phédon*, on ne peut qu'être surpris par l'étonnante proximité existant entre ses thèses et celles du Bouddha. En effet, bien que Socrate défende l'existence d'une âme permanente indestructible, alors que le Bouddha la récuse par sa théorie du non-Soi, tous deux soutiennent la thèse d'un cycle de renaissances, chaque naissance étant conditionnée par celle qui l'a précédée, l'objectif de ce cycle étant une purification visant à accéder à des sphères supérieures. Si le Bouddha a hérité sa théorie de l'Inde védique, Socrate a mis en avant des idées que l'on retrouve notamment chez son aîné Pythagore, philosophe, mathématicien et surtout maître de sagesse et instaurateur d'une école initiatique.

Nous savons que Pythagore était contemporain du Bouddha. A-t-il séjourné en Inde ? C'est ce qu'affirme la légende, mais nous ne disposons d'aucune preuve de ce voyage. Par contre, il est tout à fait probable que, dans un monde où l'on voyageait beaucoup, il ait connu des sages de l'Indus et ait été séduit par leur doctrine de l'au-delà. Il affirmait en tout cas la préexistence de l'âme, dont l'incarnation terrestre n'est pas une récompense, mais un châtiment : lourde de fautes et avide d'accéder au pays des Heureux, cette âme doit mettre à profit sa vie sur terre pour se purifier par des rituels et des pratiques d'ascèse. Si elle échoue, ce qui est souvent le cas, elle est condamnée à se réincarner sous une forme humaine, ou, pis encore, dans une plante ou un animal. La conception socratique de l'immortalité de l'âme est si proche des idées indiennes et pythagoriciennes, et par ailleurs si éloignée de notre vision contemporaine de Socrate, que j'ai choisi de m'appuyer le plus possible sur les textes pour l'exposer. Ainsi, le lecteur qui n'a pas lu Platon pourra se faire une opinion précise de la manière dont le disciple de Socrate rapporte les propos de son maître sur cette question dérangeante pour nos esprits modernes.

L'âme, selon Socrate, « est très semblable à ce qui est divin, immortel, intelligible, simple, indissoluble, toujours le même et toujours semblable à lui-même », tandis que le corps « ressemble parfaitement à ce qui est humain, mortel, sensible, composé, dissoluble, toujours changeant, jamais semblable à lui-même » (*Phédon*, 80b). Si le corps est voué à disparaître, Socrate affirme par contre l'immortalité de l'âme et entend la démontrer par la théorie du mouvement : « Ce qui est toujours en mouvement est immortel [...]. Or, le mouvement est l'essence et la nature même de l'âme » (*Phèdre,* 245). Par conséquent, « l'âme ne peut avoir ni naissance ni fin » (*Phèdre*, 246). Cette croyance est suffisamment enracinée en lui pour qu'il n'ait pas peur de sa propre mort. Sa sérénité, quand il apprend sa condamnation, surprend ses amis éplorés auxquels, raconte Platon, il lance non sans une pointe d'humour : « Voici venu le moment de nous séparer, vous pour vivre et moi pour mourir. De vous et de moi, qui a la meilleure part ? Le dieu seul le sait » (*Apologie*, 42a). Il s'en explique d'ailleurs dans le *Phédon,* cet ultime dialogue qu'il consacre à la mort et à l'immortalité, et que Platon, absent ce jour-là mais se fiant aux témoignages de ses compagnons, rapporte avec sensibilité : « Il est temps que je vous rende compte des raisons qui me portent à croire qu'un homme qui s'est livré sérieusement à l'étude de la philosophie voit arriver la mort avec tranquillité, et dans la ferme espérance qu'en sortant de cette vie il trouvera des biens infinis. Le vulgaire ignore que la vraie philosophie n'est qu'un apprentissage, une anticipation de la mort. Cela étant, ne serait-il pas absurde de n'avoir toute sa vie pensé qu'à la mort, et, lorsqu'elle arrive, d'en avoir peur et de reculer devant ce qu'on poursuivait ? » (*Phédon,* 63e-64a). D'où cette recommandation qu'il ne cesse de réitérer : « Qu'il prenne confiance pour son âme, celui qui, pendant sa vie, a rejeté les plaisirs et les biens du corps comme lui étant étrangers et portant au mal. Celui qui a aimé les plaisirs de la science, qui a orné son âme, non d'une parure étrangère, mais de celle qui lui est propre, comme la tempérance, la justice, la force, la liberté, la vérité, doit attendre tranquillement l'heure de son départ pour l'autre monde, prêt au voyage quand la destinée l'appellera » (114e-115a).

Socrate ne cesse donc de le rappeler : « Avant le soin du corps et des richesses, avant tout autre soin est celui de l'âme et de son perfectionnement » (*Apologie*, 30b). Dans des termes qui ressemblent étrangement à ceux du Bouddha, il met en garde contre les ravages que peut causer le corps à l'âme quand il la contraint à assouvir ses désirs : « Tant que nous aurons notre corps et que notre âme sera embourbée dans cette corruption, jamais nous ne posséderons l'objet de nos désirs, c'est-à-dire la vérité. Car le corps nous oppose mille obstacles par la nécessité où nous sommes de l'entretenir », dit-il (*Phédon*, 66b). Il insiste : « Le corps ne nous mène jamais à la sagesse. Qui fait naître les guerres, les divisions, les combats ? Ce n'est que le corps avec toutes ses passions. En effet, toutes les guerres ne viennent que du désir d'amasser des richesses, et nous sommes forcés d'en amasser à cause du corps pour servir, comme des esclaves, à ses besoins » (66c-d). Socrate ne prône pour autant ni l'ascèse stricte ni les mortifications du corps (82e). La voie qu'il suggère, celle que proposait d'ailleurs le Bouddha, est celle de « la tempérance, dont le grand nombre ne connaît que le nom, cette vertu qui consiste à ne pas être esclave de ses désirs, mais à se mettre au-dessus d'eux et à vivre avec modération » (68c) ; car « chaque peine, chaque plaisir a, pour ainsi dire, un clou avec lequel il attache l'âme au corps, la rend semblable et lui fait croire que rien n'est vrai que ce que le corps lui dit » (83d).

Socrate revient également sur le thème des renaissances, de la mort qui naît de la vie et de la vie qui naît de la mort, comme « le sommeil naît de la veille et la veille du sommeil » (71d). Face à Cébès qui émet quelques doutes, il s'appuie sur la tradition pythagoricienne et même orphique : « C'est une opinion bien ancienne que les âmes, en quittant ce monde, vont dans les enfers, et que, de là, elles reviennent dans ce monde et retournent à la vie après être passées par la mort [...]. Les vivants ne naissent que des morts » (70c-d). Pour lui, « on ne peut rien opposer à ces vérités » (72d). La modalité des renaissances n'est pas non plus le fruit du hasard : « Les âmes justes sont mieux, et les méchantes plus mal » (72d), dit-il avant d'expliciter ainsi son propos : « Si l'âme se retire pure, sans rien conserver du corps, comme celle qui pendant la vie n'a eu volontairement avec lui aucun commerce, mais au contraire, l'ayant toujours fui, et s'étant toujours recueillie en elle-même, en méditant, c'est-à-dire en philosophant, et en apprenant effectivement à mourir, elle va vers un être semblable à elle, divin, immortel, plein de sagesse, près duquel elle jouit de la félicité, délivrée de ses erreurs, de son ignorance, de ses craintes, de ses amours tyranniques, et de tous les autres maux attachés à la nature humaine » (81a-b). Par contre, « si elle se retire du corps, souillée, impure, comme celle qui a été toujours mêlée avec lui, occupée à le servir, possédée de son amour, enivrée de lui au point de croire qu'il n'y avait rien de réel que ce qui est corporel, ce qu'on peut voir, toucher, boire et manger, ou ce qui sert aux plaisirs de l'amour, tandis qu'elle haïssait, craignait et fuyait habituellement tout ce qui est obscur et invisible, tout ce qui est intelligible, et dont la philosophie seule a le sens, elle sort embarrassée des souillures corporelles que le commerce continuel et l'union trop étroite qu'elle a eus avec le corps, pour n'avoir jamais été qu'avec lui et occupée de lui seul, lui ont rendues comme naturelles. Ces souillures sont une enveloppe lourde, pesante, terrestre et visible. L'âme, chargée de ce poids, est entraînée encore vers ce monde visible par la crainte qu'elle a du monde invisible » (81b-c). Et ainsi, « elle est privée du commerce de la pureté et de la simplicité divine » (83e). Il cite même quelques exemples précis de réincarnations possibles : « Ceux qui n'ont aimé que l'intempérance, sans aucune pudeur, sans aucune retenue, entrent vraisemblablement dans des corps d'ânes ou d'autres animaux semblables » (81e-82a). Ceux « qui n'ont aimé que l'injustice, la tyrannie et les rapines, vont animer des corps de loups, d'éperviers, de faucons » (82a). Les justes, les tempérants, connaîtront un destin plus heureux dans

« des corps d'animaux pacifiques et doux » ou « dans des corps humains, pour faire des hommes de bien » (82a-b). Mais la proximité post mortem avec les dieux, elle, n'est offerte « qu'au véritable philosophe », celui qui a « renoncé à tous les désirs du corps », « ne se livre point à ses passions », « n'appréhende ni la ruine ni la pauvreté », mais dont l'âme est « sortie du corps avec toute sa pureté » (82c). Celui-là « sent bien que la force du lien corporel consiste dans les passions qui font que l'âme, enchaînée elle-même, aide à serrer sa chaîne ». Il sait que ses sens « sont pleins d'illusions » et ne lui donnent accès qu'au « sensible et visible », alors que son âme seule « voit ce qui est invisible et intelligible ». Ce qui caractérise ce philosophe, c'est « de travailler plus particulièrement que les autres hommes à détacher son âme du commerce du corps » (64e-65a). Et celui-là ne peut pas craindre la mort qui le rend « libre et affranchi de la folie du corps », apte à connaître enfin « l'essence pure des choses » (67a-b).

Socrate se dit plein d'espoir face à la mort. Il dit même qu'il s'y rend « avec une très grande volupté » (68b), avec l'espérance d'y trouver « de bons amis et de bons maîtres » (69e). N'a-t-il pas, dans sa vie, toujours œuvré en ce sens, « en retenant toutes ses passions dans une parfaite tranquillité, en suivant toujours la raison pour guide, sans jamais la quitter » ? Du coup, après la mort, son âme sera inéluctablement « rendue à ce qui est de même nature qu'elle, délivrée de tous les maux qui affligent la nature humaine » (84a-b). À quelques heures de sa mort, Socrate se hasarde à décrire l'au-delà qui l'attend. Il se réfère à son propre *daïmon* pour rappeler : « On dit qu'après qu'un individu meurt le génie qui l'a conduit pendant sa vie le mène en un lieu où tous les morts s'assemblent pour y être jugés, puis ils vont dans les enfers avec le guide qui les conduit. Ils y reçoivent les biens ou les maux qu'ils méritent, y demeurent tout le temps marqué, puis un autre guide les ramène dans cette vie après plusieurs révolutions de siècles. » Et de poursuivre : « L'âme tempérante et sage suit son guide volontiers, et n'ignore pas le sort qui l'attend. Mais celle qui est clouée à son corps par ses passions y reste longtemps attachée, ainsi qu'à ce monde visible. Ce n'est qu'après qu'elle a beaucoup résisté et souffert qu'elle est entraînée de force par le génie qui lui a été assigné. » Cette âme-là connaît la souffrance infernale, alors que « celle qui a passé sa vie dans la tempérance et dans la pureté » s'en va auprès des dieux pour connaître « la beauté de la terre pure qui est au milieu du ciel » (107c-108c ; 110a). « Ce que je viens de vous dire suffit pour vous convaincre qu'il faut tout faire pour acquérir de la vertu et de la sagesse pendant cette vie. Car le prix du combat est beau, et l'espérance est grande », ajoute Socrate en s'adressant à ses disciples (114c).

Mais, brusquement, lui vient un doute. Il en avait déjà fait état dans son *Apologie* par Platon : « Personne ne connaît ce qu'est la mort » (29a). Et il affirme, cette fois dans le *Phédon* : « Si la mort était la dissolution de toute existence, ce serait un grand gain, pour les méchants après leur mort, d'être délivrés en même temps de leur corps, de leur âme et de leurs vices » (107c). Il n'est plus, pour autant, aussi catégorique dans sa description de l'au-delà : « S'acharner à prétendre qu'il en va réellement comme je viens de le dire serait une outrecuidance indigne d'un homme sensé » (114d). Il use de son ironie, se moquant de lui-même : « Cette fois, ce ne sera pas l'assistance que je chercherai à persuader de mon opinion, du moins ce n'est pas mon but principal, mais bien plutôt de m'en convaincre moi-même. Car je fais ce raisonnement intéressé : si ce que je dis est vrai, il est bon de le croire ; et s'il n'y a rien après la mort, j'en tirerai toujours cet avantage de ne pas fatiguer les autres de mes lamentations pendant ce temps qui me reste à vivre » (91a-b). Et de s'en tirer avec une pirouette : « Quant à connaître la bonne réponse, je ne vais pas tarder à être fixé là-dessus » (91b).

Socrate montre une chose capitale : il existe, pour un philosophe, deux registres du savoir – le savoir proprement rationnel (on dirait aujourd'hui scientifique) et un savoir qui peut dépasser le cadre strict de la raison pour relever aussi d'autres sphères comme celles de la foi, de l'intuition, du sentiment ou même de la tradition. Dans le premier cas, on pourra parler de « certitudes ». Dans le second, on parlera plutôt, comme le fera Montaigne, d'« intimes convictions ». Un philosophe acquiert par les seuls efforts de la raison un savoir qui lui donne des certitudes sur lui-même, sur l'homme et sur le monde ; ce savoir-là est universel. Il acquiert également des connaissances non certaines, car partiellement fondées en raison, mais inspirées aussi par d'autres sources, et qui deviennent des intimes convictions. Celles-ci peuvent éclairer sa vie et la nourrir. Ce savoir est vrai pour celui qui y adhère sans qu'il s'agisse pour autant d'une vérité universelle. L'enseignement socratique sur l'immortalité de l'âme relève typiquement de ce second registre.

Résurrection et vie éternelle

Si elle est clairement établie dans la pensée grecque et indienne, la question de la distinction de l'âme et du corps est absente de la pensée juive, qui parle de la totalité de l'être. Jésus ne fait donc jamais référence au devenir post mortem d'un principe spirituel séparé du corps, l'« âme immortelle » de Socrate, l'« esprit » ou le « Soi » indien. Il n'en demeure pas moins qu'il annonce avec force, tout au long de son discours, qu'il existe une vie après la mort, un au-delà de « ce monde périssable », où, pour le dire simplement, les justes seront récompensés pour leurs bonnes actions et les méchants punis pour leurs fautes. Cette croyance en la résurrection des morts est assez tardive dans le judaïsme, mais elle est bien attestée au temps de Jésus dans le milieu pharisien qu'il fréquente, alors que les sadducéens, notables et prêtres qui gèrent le Temple, n'y croient pas (Matthieu, 22, 23 ; Actes, 23,8).

Le discours des Béatitudes exprime de manière émouvante cette justice divine qui rétribue le juste après sa mort : « Heureux ceux qui ont une âme de pauvre, car le Royaume des Cieux est à eux. Heureux les doux, car ils posséderont la terre. Heureux les affligés, car ils seront consolés. Heureux les affamés et assoiffés de la justice, car ils seront rassasiés. Heureux les miséricordieux, car ils obtiendront miséricorde. Heureux les cœurs purs, car ils verront Dieu. Heureux les artisans de paix, car ils seront appelés fils de Dieu. Heureux les persécutés pour la justice, car le Royaume des Cieux est à eux » (Matthieu, 5, 3-10). Et à tous ceux qui sont haïs, frappés d'exclusion, insultés, Jésus dit : « Réjouissez-vous [...] et tressaillez d'allégresse, car voici que votre récompense sera grande dans le ciel » (Luc, 6, 20-23).

L'expression « ciel » ou « Royaume des Cieux » désigne ce monde invisible, cet « au-delà » impossible à localiser où les justes vivront « comme des anges » (Matthieu, 22, 30) auprès de Dieu. C'est ce lieu mystérieux et indéfinissable que la tradition chrétienne appellera le paradis. Jésus utilise une autre expression pour parler de ce monde nouveau dont il promet l'avènement : le Royaume de Dieu. Mais cette expression est plus ambiguë, et, selon le contexte, peut désigner le monde actuel, marqué par la présence de Jésus, le Royaume des Cieux, ou bien encore un monde terrestre renouvelé à la fin des temps. Selon l'évangéliste Marc, ce thème est le premier à apparaître dans son discours : après son baptême dans le Jourdain par Jean-Baptiste, puis l'arrestation de celui-ci, Jésus se rend dans le désert, où, pendant quarante jours, il résiste aux tentations de Satan. De retour en Galilée, il annonce : « Le temps est accompli et le Royaume de Dieu est tout proche » (Marc, 1, 15). La Palestine de son époque est en effet traversée de courants apocalyptiques qui annoncent la fin des temps et qui connaissent une audience croissante parmi les juifs pieux qui attendent un Messie salvateur. Dans sa *Guerre des Juifs* ainsi que dans ses *Antiquités juives*, Flavius Josèphe décrit et condamne ces mouvements populaires auxquels il impute la chute de Jérusalem. Jésus, lui, reste très évasif sur le Royaume qu'il annonce. Il insiste sur son imminence, mais dit étrangement que sa « venue ne se laisse pas observer ». Ce Royaume de justice est le plus souvent annoncé pour un futur vague : d'autres malheurs viendront avant qu'il n'advienne, des « famines et des tremblements de terre » qui ne feront « que commencer les douleurs de l'enfantement », « des trahisons et des haines intestines », de « faux prophètes [qui] surgiront », une « iniquité croissante ». C'est alors seulement que « cette Bonne Nouvelle du Royaume sera proclamée dans le monde entier, en témoignage à la face de toutes les nations. Et alors viendra la fin » (Matthieu, 24, 7-14). À ce moment, quand « le soleil s'obscurcira, la lune ne donnera plus sa lumière, les étoiles se mettront à tomber du ciel », « on verra le Fils de l'homme venant dans des nuées avec grande puissance et gloire », et les anges envoyés par Dieu « rassembler ses élus » (Marc, 13, 24-27). Ce discours apocalyptique – annonce de la fin des temps, du retour du Christ et du Jugement dernier – est présent dans les trois Évangiles synoptiques. Il parcourt aussi tout le livre de l'Apocalypse, texte de visions prophétiques attribué à l'apôtre Jean qui décrit ainsi l'avènement de la « Jérusalem céleste » après les grands combats de la fin des temps contre les forces du mal : « Puis je vis un ciel nouveau, une terre nouvelle – car le premier ciel et la première terre ont disparu, et de mer il n'y en a plus. Et je vis la Cité sainte, Jérusalem nouvelle, qui descendait du ciel, de chez Dieu ; elle s'est faite belle, comme une jeune mariée parée pour son époux. J'entendis alors une voix clamer du trône : Voici la demeure de Dieu avec les hommes. Il aura sa demeure avec eux ; ils seront son peuple, et lui, Dieu-avec-eux, sera leur Dieu. Il essuiera toute larme de leurs yeux : de mort il n'y en aura plus ; de pleur, de cri et de peine il n'y en aura plus, car l'ancien monde s'en est allé » (Apocalypse, 21, 1-4).

Chez l'évangéliste Jean, les expressions « Royaume de Dieu » ou « Royaume des Cieux » sont peu présentes, mais la réalité d'une vie après la mort est affirmée avec force. Jean parle plus volontiers de la « vie éternelle » et de la « résurrection ». Dans son entretien avec le sage Nicodème, Jésus annonce qu'il n'est pas venu condamner les hommes, mais leur apporter le salut éternel (Jean, 3, 16-17). Jean raconte par la suite que Jésus s'arrête après une longue marche au bord du puits de Jacob, en Samarie. Voyant venir à lui une femme samaritaine, il lui demande à boire. S'engage alors une conversation autour de l'eau, et Jésus affirme à cette femme : « Quiconque boit de cette eau aura soif à nouveau ; mais qui boira de l'eau que je lui donnerai n'aura plus jamais soif ; l'eau que je lui donnerai deviendra en lui source d'eau jaillissant en vie éternelle » (Jean, 4, 13-14). Après avoir utilisé le symbole de l'eau, Jésus utilise le symbole du pain pour parler de cette vie éternelle qu'il est venu apporter aux hommes : « Je suis le pain vivant, descendu du ciel. Qui mange ce pain vivra à jamais » (Jean, 6, 51). Et, tandis que de nombreux disciples quittent Jésus, trouvant ses paroles « trop dures à entendre », Simon-Pierre lui redit sa confiance au nom des douze apôtres : « Seigneur, à qui irons-nous ? Tu as les paroles de la vie éternelle » (Jean, 6, 68).

À cette expression de « vie éternelle » s'associe celle de « résurrection ». Jésus l'affirme clairement : « Oui, telle est la volonté de mon Père, que quiconque voit le Fils et croit en lui ait la vie éternelle, et je le ressusciterai au dernier jour » (Jean, 6, 40), renvoyant ainsi à la thématique du Jugement dernier. Mais la parole la plus forte attribuée à Jésus concernant la résurrection des morts se situe au chapitre 11. Jésus apprend de la bouche de Marthe, sœur de Lazare, que son ami est mort. Il lui annonce : « Ton frère ressuscitera. » Marthe lui redit sa foi dans la résurrection finale, lors du Jugement dernier, mais Jésus lui tient ce propos : « Je suis la résurrection. Qui croit en moi, même s'il meurt, vivra ; et quiconque vit et croit en moi ne mourra jamais » (Jean, 11, 25, 26). Puis, touché par les larmes de Marie, l'autre sœur de Lazare, et lui-même bouleversé par la mort de son ami, il donne un signe de son pouvoir divin en ressuscitant Lazare hors du tombeau, lui qui était mort depuis quatre jours « et sentait déjà », selon les dires de Marie.

Après sa mort, comme cela a été évoqué précédemment, les disciples affirment qu'ils ont vu Jésus ressuscité. À Marie de Magdala qui se jette bouleversée à ses pieds, Jésus tient ces paroles : « Ne me touche pas, car je ne suis pas encore monté vers le Père » (Jean, 20, 17). Du fait de cette résurrection définitive, Jésus est considéré par les auteurs du Nouveau Testament comme « le premier-né d'entre les morts », et celui par qui tous les hommes ressusciteront, les uns pour vivre dans la joie du Royaume des Cieux, les autres pour connaître les tourments des enfers. Pour autant, la question d'une condamnation éternelle n'est pas claire dans les écrits néotestamentaires, certains textes donnant à penser qu'il existe une peine définitive pour un seul péché (le fameux péché contre l'Esprit-Saint – Luc, 12, 10), d'autres, que le pardon de Dieu sera toujours plus fort que n'importe quel péché commis par les hommes. Selon les propos attribués à Jésus par les évangélistes, il apparaît que si la vie éternelle est offerte à ceux qui s'appuient sur le Christ et mettent leur foi en lui, elle concerne aussi de manière plus large tous les hommes et femmes de bonne volonté qui ont su aimer leur prochain (Matthieu, 25).

Au-delà des divergences d'appréciation entre le Bouddha, Socrate et Jésus sur le devenir de l'être humain après la mort, leur enseignement converge sur le fait que nos actions présentes auront des conséquences dans une existence future. Une telle perspective peut avoir des répercussions importantes dans la manière de concevoir notre vie, dans nos choix éthiques, dans la perception que nous avons de nous-mêmes. À moins d'avoir la foi, nous ne pouvons avoir aucune certitude rationnelle sur l'existence d'un au-delà ou de mondes invisibles. Mais, comme le rappelle avec humour Socrate bien avant le fameux pari de Pascal, il n'y a rien à perdre à vivre selon une telle conviction. À moins évidemment qu'elle ne paralyse notre vie ici-bas, qu'elle ne l'enferme dans la peur ou le fatalisme et la rende mortifère. Mais ce n'est certes pas ainsi qu'ont vécu nos trois sages.

12

Recherche la vérité

« Qu'est-ce que la vérité ? » demande Pilate à Jésus. Cette question sonne d'autant plus juste à nos oreilles que nous sommes bien souvent persuadés, comme Pilate, qu'elle est sans réponse possible. Mais, comme le souligne avec pertinence André Comte-Sponville : « Que la question fût posée par le chef d'une armée d'occupation – juste avant qu'il se lave les mains pendant qu'on crucifie un innocent – devrait nous inciter à davantage de vigilance. S'il n'y a pas de vérité, ou si on ne peut pas du tout la connaître, quelle différence entre un coupable et un innocent, entre un procès et une mascarade, entre un juste et un escroc[1] ? »

De fait, la recherche de la vérité est au fondement même des enseignements de Socrate, de Jésus et du Bouddha. Il est capital pour eux de discerner le vrai du faux, le bien du mal, le juste de l'injuste. Aucune existence bonne ne peut être menée sans ce discernement préalable. Et leur quête ne se limite pas à

1. Chronique du *Monde des religions*, janvier-février 2009.

chercher une vérité factuelle, particulière, mais s'étend aussi à la quête d'une vérité universelle, valable pour tout individu. Une telle quête est rendue possible, pour Socrate, parce qu'il est convaincu que tous les êtres humains sont dotés de la même raison humaine. Le Bouddha croit lui aussi en l'universalité de l'esprit : ce qu'il a découvert par l'introspection, chacun peut le découvrir à son tour. Jésus affirme quant à lui l'existence d'une vérité absolue d'où procèdent d'autres vérités universelles : Dieu.

Discernement et maïeutique socratique

Tout au long de ses dialogues, Socrate répète n'avoir « aucune sagesse, ni petite ni grande » (*Apologie*, 21b), même si Apollon, par l'intermédiaire de l'oracle de Delphes, l'a décrété le plus sage des hommes. Il affirme tout aussi volontiers ne détenir aucune connaissance : « Je sais que je ne sais rien. » Or, bien qu'il se prétende intellectuellement si démuni, son ambition est grande : il est en quête de la vérité à laquelle on peut accéder par la connaissance. Non pas la connaissance des lois physiques ou mathématiques, ni celle des questions métaphysiques, qui dépassent les capacités de la raison, mais la seule connaissance qui vaille à ses yeux : celle de l'homme. Je dirai même plus spécifiquement : de la conduite humaine, c'est-à-dire de la morale. Le « vrai » par opposition à l'erreur, le « bien » par opposition au mal, tiennent en effet lieu, chez lui, de vérité universelle. Une vérité qui s'impose d'elle-même, qu'aucune autorité, aucune majorité, ne peuvent ébranler : « Ce qui est vrai n'est jamais réfuté », lance-t-il dans *Gorgias* à Polos, qu'il met au défi de démonter sa thèse à l'issue de leur échange sur la justice (473b). Car ce qui est vrai se prouve : la vérité est le fruit d'un effort de la raison, d'une certitude rationnelle qui se forge quand un individu accepte de se plonger dans sa nature profonde, de se « connaître soi-même », et qu'il s'élève au-dessus de ses a priori, de ses émotions, de ses peurs, de ses passions, de tout ce qui peut le troubler, en somme, et qui est source d'illusions. C'est alors qu'il peut toucher au « vrai » : la vraie justice, la vraie beauté, la vraie bonté, le vrai courage : autant de notions à la fois complexes et simples, parce que très pures, même si elles restent difficiles à définir. En effet, à maintes reprises, dans les dialogues socratiques, se reproduit l'épisode du *Lachès* où le philosophe, Nicias et Lachès tentent en vain d'apporter une définition rigoureuse du courage. Avec l'un de ses interlocuteurs, Socrate parviendra à dire ce que le courage n'est pas, en réfutant les définitions qui en sont couramment données (l'intrépidité, l'audace...) ; mais il conviendra : « Nous n'avons pas trouvé, Nicias, ce qu'est le courage » (199e).

Alors, comment reconnaître le « vrai » ? Comment « comprendre l'essence et la nature » des choses (*Théétète*, 148d) ? Pour Socrate, la vérité, la connaissance de la vraie nature des choses et de nous-même est enfouie au fond de nous. « L'égalité absolue, la beauté absolue, la bonté absolue, et toute existence essentielle », pour reprendre son énumération dans le *Phédon*, sont des « essences » « pures et simples » (78d), gravées en nous, avant même notre naissance, mais que nous oublions en naissant. En quelque sorte, Socrate ne nous invite pas à les découvrir, mais à les redécouvrir, parce que « notre science n'est que réminiscences » (*Phédon*, 72e), souvenir d'un séjour de l'âme dans un monde supérieur avant son incarnation terrestre. Il ne doute pas de leur existence à l'état pur : « Si ces choses-là n'existent pas, tous nos discours sont inutiles », confie-t-il à ses disciples réunis autour de lui alors qu'il se prépare à absorber le poison auquel l'a condamné la justice athénienne (*Phédon*, 76e). Cette connaissance-là, dit-il aussi dans le *Théétète*, est en chacun sous forme de germes qui ne demandent qu'à éclore s'ils y sont aidés. Ainsi, les jeunes gens qui, pour « certains d'entre eux, paraissent au début complètement ignorants », lorsqu'ils s'entretiennent avec lui, et « si le dieu le leur permet », accomplissent « des progrès merveilleux ». D'autres, « sous l'influence de mauvais maîtres, ont avorté de tous les germes qu'ils portaient, et ils ont mal nourri ceux dont je les avais accouchés, les laissant périr en faisant plus de cas de mensonges et de vaines apparences que de la vérité » (150d-e). Telle fut d'ailleurs la raison de sa rupture avec les sophistes, ces maîtres de la parole qui enseignaient à leurs élèves l'art de discourir de telle sorte qu'ils se montrassent capables de défendre, avec la même force de persuasion et la même verve, une opinion et son contraire. Cet art rhétorique avait connu un succès certain au sein d'une démocratie athénienne qui, à l'époque de Socrate, avait porté l'art du discours à son apogée, au risque de la démagogie. Socrate, lui, entend mener bataille contre ce relativisme, non pas seulement parce qu'il est futile, mais surtout parce qu'il est nuisible à l'âme. Car considérer toute vérité comme relative revient à renoncer à ce qui constitue pour lui le but de la quête philosophique, à savoir précisément la recherche de la vérité.

Quand Socrate soumet ses interlocuteurs au feu de ses questions pour atteindre la vérité, il les entraîne à philosopher, c'est-à-dire à exercer leur discernement. Car telle est, selon lui, la seule voie d'accès à la connaissance. Et quand il interroge l'homme de la rue, l'artisan, le général ou l'orateur, il exerce avec eux la maïeutique. De quoi les accouche-t-il ? D'eux-mêmes. Et, au-delà d'eux-mêmes, de leur nature profonde, de leur essence par-delà l'individualité. À travers l'homme singulier, c'est à l'humanité de l'homme qu'il entend accéder, à ce qui fait la spécificité de la nature humaine : « Je cherche à savoir si je suis un animal plus compliqué et plus méchant que Typhon, ou un animal plus doux et simple, dont la nature est claire et participe du divin », confie-t-il (*Phèdre,* 230). Car si le vrai est universel, c'est d'abord parce que la nature humaine, en ce qu'elle recèle une parcelle de divin, est elle-même universelle. Or, prisonniers du visible, les hommes ne sont pas capables de voir d'emblée la vérité. Ils n'en perçoivent d'abord qu'un reflet déformé.

Pour illustrer la quête socratique de la vérité, Platon a recours au fameux « mythe de la caverne[1] ». Les hommes, nous dit le mythe, sont depuis leur naissance enchaînés dans une caverne, la tête tournée de telle

1. *La République*, livre VII.

sorte qu'ils ne peuvent voir son entrée, ouverte à la lumière, ni même le feu qui les éclaire et qui est séparé d'eux par un muret « pareil aux cloisons que les montreurs de marionnettes dressent devant eux, et au-dessus desquelles ils font voir leurs merveilles » (514b). Derrière ce mur passent des porteurs qui parlent parfois et transportent des statues dont les prisonniers peuvent voir l'ombre projetée sur le mur de la caverne qui leur fait face, de même d'ailleurs que leur propre ombre et celles de leurs compagnons. Pour eux qui n'ont jamais rien vu d'autre, toutes ces ombres, les leurs et celles des objets fabriqués, sont la réalité. Platon imagine que l'un de ces prisonniers est un jour « délivré de ses chaînes » et, désormais à même de regarder vers la lumière, peut donc être « guéri de son ignorance » (515c). Cependant, la lumière, qu'il voit pour la première fois, l'éblouit au point qu'il cesse de distinguer les ombres sur le mur. « Que crois-tu qu'il répondra à celui qui lui dit qu'il n'a vu jusque-là que de vains fantômes, mais qu'à présent, tourné vers des objets plus réels, il voit plus juste ? Si, enfin, en lui montrant chacune des choses qui passent, on l'oblige, à force de questions, à dire ce que c'est ? » (515d). Il paraît évident que celui-là aura du mal à qualifier de « vraies » ces choses réelles et de « fausses » les ombres qu'il a toujours connues. Il souffrira même à la vue de la lumière du soleil. Ce n'est qu'avec le temps que ses yeux parviendront progressivement à s'accoutumer à la lumière et à contempler les choses telles qu'elles sont. Il verra le soleil, comprendra que celui-ci gouverne les saisons et les années, qu'il est « la cause de tout ce qu'il voyait avec ses compagnons dans la caverne » (516c). Et il plaindra ces derniers, qui, dans leur caverne, décernent honneurs et louanges à ceux qui reconnaissent le plus vite les ombres ou anticipent au mieux leur passage : « Il préférera mille fois n'être qu'un valet de charrue au service d'un pauvre laboureur, et souffrir toutes les souffrances du monde, plutôt que de revenir à ses anciennes illusions et de vivre comme il vivait » (516d).

Que fera-t-il s'il doit cependant retourner dans sa caverne et reprendre sa vie d'enchaîné ? Encore ébloui de lumière, il aura du mal à s'accoutumer à l'obscurité. Ses compagnons se moqueront de lui, de ses maladresses. Ils refuseront très certainement de vivre la même expérience que lui. « Et si quelqu'un tente de les délier et de les conduire en haut, et qu'ils puissent le tuer, ne le tueront-ils pas ? » (517). Socrate, qui s'exprime ici sous la plume de Platon, n'a-t-il pas en effet été condamné à mort pour avoir tenté de délier ses concitoyens des chaînes de l'ignorance ? Il paraît évident que la lumière dont il est question dans le mythe de la caverne ne symbolise rien d'autre que la vérité recherchée par Socrate, et que celui qui revient pour témoigner de son existence n'est autre que la figure du philosophe-guide, celui qui, ayant déjà parcouru ce chemin ardu, peut arracher les hommes à leurs ténèbres.

Car il est quasi impossible au commun des mortels de se souvenir seul de ce qu'il savait avant de naître et qui demeure enfoui en lui « sans jamais recevoir la moindre altération ni le moindre changement » (*Phédon*, 78d). Seul le dialogue avec un bon maître le guidera sur cette voie pour le faire « accoucher » de cette vérité en soi : c'est justement le principe de la maïeutique

que nous avons plusieurs fois évoqué. « Il faut être deux pour chercher ensemble, pour voir ensemble si ce discours échangé et ces raisons qui se répondent – *dia logos* – ne vont pas conduire au terme les deux qui cherchent. La seule condition est de croire, l'un comme l'autre, à la vertu du discours, de la raison », souligne à juste titre André-Jean Festugière[1]. Les disciples de Socrate en étaient bien conscients. D'où leur désespoir, alors qu'il gît sur ce qui sera quelques heures plus tard son lit de mort : « Mais, Socrate, où trouverons-nous un bon enchanteur, puisque tu vas nous quitter ? » Et Socrate de leur livrer cette inoubliable réponse que nous pouvons encore aujourd'hui faire nôtre : « La Grèce est grande, et l'on y trouve un grand nombre de personnes habiles. Et il y a bien des pays étrangers : il faut les parcourir tous, et les interroger pour trouver cet enchanteur, sans épargner ni travail ni dépense. Il n'y a rien à quoi vous puissiez employer votre fortune plus utilement. Et puis, il faut aussi que vous le cherchiez parmi vous. Car vous ne trouverez peut-être personne plus capable de faire ces enchantements que vous-mêmes » (*Phédon*, 78a).

Les « quatre nobles vérités » et la méditation bouddhiste

Quant il quitte le palais familial, Siddhârta est en quête d'une vérité au-delà des apparences, dont il s'est

1. André-Jean Festugière, *Socrate*, La Table Ronde, 2001, p. 92.

rendu compte qu'elles étaient trompeuses. Comme Socrate, il va procéder par tâtonnements. L'un fréquente ceux que l'on dit sages à Athènes ; mais, de fait, il découvrira leur pauvreté en matière de sagesse. L'autre fréquente successivement plusieurs ascètes parmi les plus réputés, et il prend conscience de la vacuité de leurs pratiques extrêmes. L'un et l'autre ont pourtant l'intuition, je dirai même l'intime conviction, de l'existence d'une vérité universelle qui concerne tous les êtres, et, surtout, qui est accessible à tous. L'un et l'autre la recherchent de toute leur âme. Mais là où Socrate met surtout en avant l'outil de la raison tout en s'appuyant sur l'introspection, le Bouddha préfère la seule expérience intérieure : il ne s'agit pas tant de découvrir intellectuellement la vérité, de la chercher par le raisonnement, que de la déduire de son expérience intime. Il regarde d'ailleurs avec une certaine suspicion la voie de l'intellect et de la pure spéculation. Dans l'un de ses célèbres sermons, le sutra *Brahma Jala*, il utilise des mots très durs envers ceux qui se cantonnent dans la théorie au détriment de l'expérience, les qualifiant d'« ascètes enfermés dans la logique et le raisonnement », qui « construisent des vérités sophistiquées » mais infondées (2, 13). Pour lui, s'il existe une réponse à l'énigme de l'existence, ce ne peut être qu'une solution concrète. Une voie qui permet d'être sauvé du cycle tragique du samsara, ces renaissances auxquelles les êtres sont condamnés. Une voie qui mène à l'illumination et à la connaissance ultime de la vraie nature des choses.

Siddhârta part de sa propre nature pour explorer en lui-même les mécanismes de la souffrance, les démonter, les comprendre. Il va observer ses passions, ses émotions, passer de longues heures en méditation, probablement à s'autoanalyser – même si les textes ne le disent pas ainsi. Se désintéressant de la métaphysique, de ses questions insolubles pour un esprit humain, il consacre tous ses efforts à la recherche de ce qu'on pourrait appeler une « méthode » de libération dont il décrit ainsi l'action : « De même que la pluie pénètre dans une maison au toit mal entretenu, de même le désir pénètre dans un esprit mal entraîné. De même que la pluie ne pénètre pas dans une maison au toit bien entretenu, de même le désir ne pénètre pas dans un esprit bien entraîné » (*Dhammapada*, 1, 13-14). Il constate que, « quand la vraie nature des choses devient claire pour l'ardent, le méditant, tous ses doutes disparaissent, parce qu'il réalise quelle est cette nature et quelle est sa cause » (*Vinaya Mahavagga,* 1, 3). Lui-même médite jusqu'à parvenir à l'Éveil. C'est alors que la vérité s'impose à lui : il réalise que tout est impermanence, et que cette impermanence qui alimente le désir est la principale cause de la souffrance. On voit donc à quel point, dans la pratique du bouddhisme, le travail du détachement est lié à la quête de la vérité, et que c'est en progressant dans le détachement, voire dans l'arrachement à soi, aux désirs et aux illusions inhérentes à l'ego, que l'on progresse dans la vérité.

Le sermon sur les « quatre nobles vérités », qu'il délivre après son Éveil, résume l'essentiel de sa doctrine. Par la suite, il continuera de l'expliciter et de l'illustrer ; en l'offrant à ses premiers auditeurs, il met en mouvement la « roue de la Loi » – en sanskrit le dharma –, qui signifie l'ordre universel immuable, mais également la doctrine enseignée par le Bouddha révélant la vérité ultime des choses et la réalité de la condition humaine. Avant de les exposer, signalons en passant que l'expression « quatre nobles vérités » n'est pas une traduction littérale du pali *cattari ariya saccani* (*catvari arya satyani* en sanskrit) : *ariya*, qui signifie « noble », ne s'applique pas, en effet, aux vérités elles-mêmes, mais à la personne qui les reçoit et les comprend. L'expression exacte serait donc : « les quatre vérités des nobles » – sous-entendu : des individus spirituellement nobles.

L'Éveillé entame ainsi son plus célèbre sermon : « Un moine doit éviter deux extrêmes. Lesquels ? S'attacher aux plaisirs des sens, ce qui est bas, vulgaire, terrestre, ignoble, et engendre de mauvaises conséquences, et s'adonner aux mortifications, ce qui est pénible, ignoble, et engendre de mauvaises conséquences. Évitant ces deux extrêmes, ô moines, le Bouddha a découvert le chemin du milieu qui donne la vision, la connaissance, qui conduit à la paix, à la sagesse, à l'éveil et au nirvana. » Puis il énonce ces vérités en quatre phrases lapidaires dont l'épicentre est la notion de *dhukka*, traduite par « souffrance » et qui désigne, comme nous l'avons déjà évoqué, toute une gamme de douleurs psychologiques et philosophiques. La vie est *dhukka*, dit le Bouddha. L'origine de la *dhukka* est la soif, c'est-à-dire le désir. Il existe un moyen de supprimer la *dhukka* : ce moyen, c'est le chemin aux huit éléments justes. Chacune de ces affirmations mérite d'être explicitée afin d'en saisir les subtilités et la portée. L'analyse du Bouddha peut d'ailleurs se lire comme une métaphore médicale, car, comme le rappelait André Bareau, le bouddhisme a avant tout une visée thérapeutique.

La vie est souffrance : c'est le premier constat que pose le Bouddha. Tel un médecin de l'âme humaine, il livre son diagnostic et divise cette souffrance en sept catégories qui jalonnent et englobent toute expérience de vie : la naissance est souffrance, la vieillesse est souffrance, la mort est souffrance, être uni à ce que l'on n'aime pas est souffrance, être séparé de ce que l'on aime est souffrance, ne pas avoir ce que l'on désire est souffrance, les cinq agrégats d'attachement sont souffrance. Autrement dit, tout est souffrance, et il est illusoire de vouloir trouver dans la vie un bonheur permanent. Ce constat se veut objectif et lucide. Il ne s'agit pas d'un pessimisme existentiel, mais de la première étape sur la voie de la libération. En reconnaissant ce principe premier, l'individu effectue le premier pas sur la voie de la guérison.

Et le Bouddha de poursuivre son diagnostic : l'origine de la souffrance est la soif. Cette soif insatiable du plaisir des sens et de l'existence même. Mais il affirme aussitôt qu'il existe un remède à la souffrance : « C'est la cessation complète de cette soif en la délaissant, en y renonçant, en s'en libérant, en s'en débarrassant. » Cela ne signifie évidemment pas la fin objective de la vieillesse, de la maladie, des malheurs, de la mort, mais la capacité que peut acquérir l'individu de les observer comme des éléments extérieurs qui ne sont plus source de violence émotionnelle. Il ne s'agit pas de les nier, mais de s'en détacher dans une distance salutaire de soi à soi.

Enfin le Bouddha délivre l'ordonnance qui doit apporter à l'être humain la guérison définitive : « La quatrième vérité est le chemin conduisant à la cessation de la *dhukka* », c'est-à-dire au nirvana – un « chemin octuple » qu'il définit ainsi : « La compréhension juste, la pensée juste, la parole juste, l'action juste, le moyen d'existence juste, l'effort juste, l'attention juste et la concentration juste. » En réitérant le terme « juste », le Bouddha définit ce que l'on nomme « la voie du milieu » ; la tradition, elle, répartit ces huit éléments en trois disciplines : la conduite éthique, la discipline mentale et la sagesse. Et le Bouddha achève ainsi son sermon : « J'ai atteint l'incomparable et suprême connaissance. La connaissance profonde s'est élevée en moi. Inébranlable est la libération de ma pensée. Ceci est ma dernière naissance, il n'y aura plus d'autre existence. »

Le Bouddha a fait de la méditation la voie d'accès privilégiée à la connaissance de la vraie nature des choses et au nirvana. Dans un long discours à ses disciples, le sutra *Satipatthana*, que l'on peut traduire par « l'établissement de l'attention », il affirme en préambule et de manière très ferme la primauté de cette voie : « Il n'y a qu'une seule voie, ô moines, qui mène à la purification des êtres, à la conquête des douleurs et des peines, à la destruction de la douleur, à l'acquisition de la conduite juste, à la réalisation du nirvana : ce sont les quatre domaines de l'attention. » Cette méditation-là n'est pas, il faut le dire d'emblée, une réflexion intellectuelle autour d'un sujet ou d'un thème donnés. Elle n'est pas non plus une méthode de relaxation, ni une parenthèse de « vide » dans une vie active. Elle est, selon la description qu'en a faite le Bouddha, une mise en condition de l'esprit, une manière de le « calmer » face aux perturbations extérieures et intérieures. Elle ne consiste pas à chasser les pensées qui jaillissent en soi, mais à les observer de manière détachée, dans un état de calme mental (*samatha*), pour aller au-delà de leurs apparences et avoir ainsi directement la vision profonde (*vipassana*) de tout ce qui existe. Il s'agit d'appréhender, ou plutôt d'expérimenter au plus profond de soi, la non-permanence de toute chose et de toute sensation. Il l'appelle lui-même le *bhavana*, littéralement : « faire naître » ou « développer » – développer l'esprit de calme qui, en annihilant les attachements et les illusions créés par le mental, conduit ultimement à la libération de l'être.

C'est une pratique simple mais très exigeante, à la portée de tous, mais semée de difficultés. Dans les « Versets sur l'attention », qui constituent le deuxième chapitre du *Dhammapada*[1], le Bouddha livre à ses disciples des conseils sur la manière de méditer, c'est-à-dire de s'absorber dans ce qu'il appelle « l'attention pleinement consciente », ce « chemin de l'immortalité » (2, 23). Il leur rappelle la nécessité de rester « plein d'attention et d'énergie, bienfaisant et réfléchi, discipliné, vigilant et droit » (2, 26), précisant par ailleurs : « Ne cédez pas à la non-attention, ne vous abandonnez pas aux plaisirs des sens. Méditez avec vigilance, vous découvrirez une félicité immense » (2, 29). Et de promettre : « Le moine qui cultive l'attention et

1. Recueil d'aphorismes classés par thèmes.

redoute le manque d'attention ne pourra plus régresser. Il a presque atteint la porte de la libération » (2, 33). Dans un autre chapitre du *Dhammapada*, consacré à « la pensée », le Bouddha ajoute : « Il faut dompter sa pensée, même si elle est rétive et imprécise, et chemine là où elle veut. Quand vous la domptez, elle vous mène à la félicité » (3, 37).

Le sutra *Satipatthana*, cité plus haut, décrit de manière technique et précise les quatre mécanismes qui président à la mise en place de l'attention profonde du méditant. Ces quatre mécanismes concernent quatre domaines : le corps, les sensations, l'esprit et les objets mentaux. Sans entrer dans les détails de ce sutra, il n'est pas inutile d'en brosser les grandes lignes. Pour ce qui est de l'attention au corps, le Bouddha insiste d'abord sur la respiration. Le méditant s'entraîne à inspirer et à expirer, puis, en prenant conscience de ses inspirations et de ses expirations, il contemple sa respiration, il la ressent dans son corps. « La conscience du corps est établie en lui » (1, 1). Puis il prend conscience de la position de son corps telle qu'elle est : « Ainsi, il demeure libéré, ne s'attachant à rien dans le monde » (1, 2), avant d'aborder la troisième étape, qui est la contemplation et la claire compréhension de ce qui l'entoure directement (sa robe, son bol...). Enfin il considère son corps « de la plante des pieds jusqu'au sommet de la tête, recouvert de peau et rempli de diverses choses répugnantes » (1, 4) ; et il prend pleinement conscience de ce que le corps est « de la même nature qu'un cadavre » et « ne sera pas épargné » (1, 6). Le même procédé d'attention consciente s'applique aux sensations : il ne s'agit pas, insiste le Bouddha, d'accepter les sensations agréables et de rejeter les sensations désagréables, mais simplement d'en prendre conscience en les contemplant « intérieurement et extérieurement » (2). Il en va de même pour la contemplation de l'esprit, c'est-à-dire des désirs, des passions, des illusions, de la dispersion : le méditant « demeure, contemplant l'apparition et la disparition des phénomènes dans l'esprit. Ainsi, il demeure libéré, ne s'attachant à rien dans le monde » (3). La dernière étape est celle de la contemplation des objets mentaux : les désirs des sens, la malveillance, l'entêtement, le remords, le doute (qui sont les cinq obstacles), ainsi que les formes, les sensations, les odeurs, les goûts, les sons. Au terme de ce parcours, le méditant, dit le sutra, peut enfin appréhender les quatre nobles vérités. Un parcours qui peut, selon les capacités et les motivations de chacun, se réaliser en quelques années comme prendre une vie entière... voire plusieurs !

Jésus : révéler la vérité et lui rendre témoignage

« Je ne suis né, et je ne suis venu dans le monde que pour rendre témoignage à la vérité », affirme donc Jésus devant le gouverneur romain Ponce Pilate qui s'apprête à le condamner à mort (Jean, 18, 37). De même que Bouddha et Socrate, Jésus est convaincu de l'existence d'une vérité ultime par opposition à un monde d'illusions, une vérité qui peut être reçue par chaque individu pour peu qu'il prenne la peine d'aller vers elle. Mais, contrairement à Socrate, Jésus ne prétend pas avoir découvert cette vérité par le raisonnement, pas plus qu'il n'entend la transmettre par un enseignement rationnel. Contrairement aussi au Bouddha, il ne prétend pas avoir découvert cette vérité à travers une longue pratique introspective, et ne pense pas qu'elle puisse s'acquérir par des techniques de méditation. En cela sa démarche est radicalement différente de celles de nos deux autres maîtres.

Jésus affirme en effet qu'il a mission de révélation. Son approche de la vérité est en ce sens d'un tout autre ordre. Il vient révéler la vérité ultime – Dieu – parce qu'il vient de Dieu et qu'il a été envoyé par lui dans le monde. Jésus n'apporte pas une connaissance rationnelle de Dieu ou des preuves philosophiques de son existence. Il le « révèle », il en témoigne par sa propre présence. « Nul n'a jamais vu Dieu, rappelle Jean à la fin du prologue de son Évangile. Le Fils unique, qui est tourné vers le sein du Père, lui l'a fait connaître » (Jean, 1, 18). À ses auditeurs qui s'étonnent de ses connaissances et de l'autorité avec laquelle il enseigne alors qu'il n'a pas étudié, Jésus répond : « Ma doctrine n'est pas de moi, mais de celui qui m'a envoyé » (Jean, 7, 16). Il se présente toujours comme « l'envoyé » de Dieu venu enseigner aux hommes qui il est en vérité, son « Fils unique », le « Christ-Messie ». Et Jésus ne cesse de le répéter tout au long du quatrième Évangile : « Il m'envoie vraiment, celui qui m'a envoyé. Vous, vous ne le connaissez pas. Moi, je le connais, parce que je viens d'auprès de lui et c'est lui qui m'a envoyé » (Jean, 7, 28-29). Jésus est donc venu révéler la vérité ultime. Une révélation qui a deux facettes : un enseignement didactique et son propre témoignage. Tout autant qu'il « dit » la vérité, qu'il révèle Dieu, Jésus « témoigne » par sa vie et par ses actes de cette vérité qu'il annonce. C'est sans doute ce qui explique l'indubitable impact émotionnel en même temps que la valeur pédagogique des Évangiles.

Quelle est la vérité ultime que Jésus entend révéler ? Elle tient en trois mots : Dieu est amour. Avec deux mille ans de culture chrétienne derrière nous, cette affirmation peut paraître banale. Mais, à l'époque de Jésus, elle était révolutionnaire. Non pas que l'amour et la miséricorde divine soient absents de la Bible, mais Jésus ne fait pas de l'amour divin un attribut parmi d'autres – au même titre que l'unicité, la justice, la puissance, l'omniscience : il est le nom propre de Dieu, « son essence », pourrait-on dire. Dès lors, tout doit être mesuré, apprécié, discerné à l'aune de l'amour. C'est la raison pour laquelle Jésus entame sa prédication en critiquant vivement – pour ne pas dire farouchement – les docteurs de la Loi. La vérité ne réside pas, dit-il, dans le formalisme de la Loi, dans le respect intangible des règles de pureté ou dans celles du shabbat. D'ailleurs, il les transgresse lui-même quand cela lui semble nécessaire, tout en demeurant un juif pratiquant qui porte des habits à franges (Marc, 6, 56), fréquente les synagogues pour s'adresser au peuple et se rend au Temple pour la Pâque. Il voit dans le légalisme une rigidité absurde et stérile : à quoi sert l'application mécanique de règles édictées par les Anciens lorsque la dimension essentielle, à savoir l'*agapè*, ou amour de Dieu, est écartée ou oubliée ? La Loi sans l'amour ne rime à rien, parce qu'à l'origine cette Loi n'a été édictée que comme une pédagogie de l'amour. Jésus s'applique donc à redonner son sens véritable à la Loi divine transmise par Moïse, en critiquant la compréhension trop étroite qui a pu en être faite par les docteurs. C'est ainsi qu'il proclame la Loi nouvelle, celle de l'amour du prochain, récusant par exemple le traditionnel « œil pour œil, dent pour dent » (Exode, 21, 24) pour prêcher l'amour même de nos ennemis ou de ceux qui nous ont fait du mal (Matthieu, 5, 38-40).

Le lecteur des Évangiles est autant touché par les paroles de Jésus que par ses gestes qui sont comme des témoignages vivants de son enseignement. Ainsi, à sa prescription « Ne jugez pas ! » (Matthieu, 7, 1) fait écho l'épisode de la femme prise en flagrant délit d'adultère et que la foule veut lapider, conformément à la Loi. Jésus refuse de la condamner et proclame après un long silence : « Que celui d'entre vous qui est sans péché lui jette le premier une pierre ! » (Jean, 8, 7).

Contrairement à Socrate et au Bouddha, Jésus se place lui-même au cœur de la vérité : là où ses deux prédécesseurs montrent une voie, Jésus se présente comme étant lui-même le chemin. Il est envoyé par Dieu avec mission de sauver les hommes : « Dieu a tant aimé le monde qu'il a donné son Fils unique, afin que quiconque croit en lui ne se perde pas, mais ait la vie éternelle » (Jean, 3, 16). Là où le Bouddha, maître de sagesse, fait passer sa personne au second plan, derrière son expérience et sa doctrine, là où il affirme à plusieurs reprises : « Soyez des îles pour vous-mêmes, des refuges pour vous-mêmes, et ne cherchez aucun refuge extérieur » (*Mahaparinibbana sutta*, 2, 33), Jésus, lui, exige un attachement et une foi totale en sa propre personne. Le messager se confond avec le message, il est en le cœur même : « Je suis le Chemin, la Vérité et la Vie. Nul ne vient au Père que par moi » (Jean, 14, 6). Et, à la veille de sa mort, lorsqu'il parle à ses disciples de son départ de ce monde, Jésus leur annonce qu'il leur enverra son Esprit pour continuer à les éclairer et à les instruire : « L'esprit de vérité [...] vous introduira dans la vérité tout entière... » (Jean, 16, 13).

Dans ces conditions, que signifie pour Jésus « rechercher la vérité » ? De manière relative, c'est s'appliquer à discerner le vrai du faux. De manière absolue, c'est le rencontrer et, à travers lui, faire l'expérience du Dieu Amour.

13

Va vers toi-même et deviens libre

La recherche de la vérité conduit à la vraie liberté : liberté de l'individu qui s'émancipe à l'égard de la tradition, de l'autorité ou des opinions dominantes de la société ; mais aussi et surtout liberté intérieure de l'être humain qui apprend, grâce à cette vérité, à se connaître et à se dominer.

Une libération de l'individu

Chacun à leur manière, Socrate, Jésus et le Bouddha ont cherché à émanciper l'individu à l'égard du groupe. Pour bien comprendre la portée de leur enseignement, qui peut nous paraître aujourd'hui si naturel, il faut avoir en tête qu'ils vivaient tous trois dans un monde traditionnel où chaque individu était soumis au groupe. Son bien personnel comptait moins que celui de la collectivité à laquelle il appartenait, et il n'était pas question qu'un individu remettre en cause l'autorité de la tradition. C'est d'ailleurs ainsi que fonctionnent aujourd'hui encore les sociétés dites justement traditionnelles. L'autonomie de l'individu par rapport au groupe, qui est l'un des signes distinctifs des sociétés occidentales, Socrate et Jésus en sont les lointains instigateurs. Il aura cependant fallu attendre le siècle des Lumières pour que cette autonomie, si profondément ancrée dans la culture, s'inscrive dans le droit.

Le Bouddha, comme nous allons le voir, a lui aussi prôné la liberté de choix de l'individu et tenté de le soustraire au poids du collectif. Mais ses efforts n'auront pas eu, à long terme, les mêmes effets en Asie que ceux de Socrate et de Jésus en Occident. Car si sa pensée s'est répandue à peu près partout, le sentiment d'appartenance au groupe est demeuré primordial. Il n'en demeure pas moins qu'il a proposé une voie de libération individuelle et que cette démarche a constitué une avancée décisive vers une prise de conscience, en chaque individu, de la nécessité d'une quête de salut personnelle.

C'est par un geste spectaculaire – quitter le somptueux palais de son père et s'affranchir des privilèges de son rang, pour rejoindre les ascètes mendiants de la forêt – que le Bouddha a signé son émancipation vis-à-vis de l'autorité paternelle. Il manifeste ainsi qu'il n'y a rien de plus important pour chaque être humain que de choisir sa voie. C'est à cette liberté qu'il convie ceux qui l'approchent, en leur proposant de décider par eux-mêmes s'ils veulent le suivre comme laïcs ou – condition bien plus astreignante – comme moines. La « méthode » qui conduit à l'illumination ne peut en effet être qu'une voie individuelle : l'Éveil ne s'acquiert pas par l'exécution aveugle de rites religieux ou de sacrifices aux dieux, mais par un « octuple chemin » dont les huit éléments peuvent se résumer en une application d'une moralité (*sila*) juste, d'une méditation (*samadhi*) juste, d'une sagesse (*panna*) juste.

Une anecdote puisée dans la vie du Bouddha illustre cette entreprise. Un jour, tandis qu'il tient son bol d'aumônes à la main, le Bouddha aperçoit un jeune homme procédant à un curieux rituel : entièrement mouillé, il se prosterne successivement dans les six directions – les quatre points cardinaux, le ciel et la terre. Le Bouddha l'interroge sur le sens de ce rituel. Sigala (ainsi se prénomme le jeune homme) lui révèle qu'avant de mourir son père eut juste le temps de lui recommander de suivre ce rituel chaque matin. « Tu as raison de suivre la recommandation de ton père, mais peut-être n'a-t-il pas eu le temps, avant de mourir, de te l'expliquer entièrement », lui dit le Bouddha, qui lui délivre alors le *Sigalovada sutta*, ou sermon de Sigala, le plus long de ses sermons consacrés à la morale laïque et qui commence ainsi : « Ces six directions doivent être vénérées selon l'esprit du Noble Chemin. » Le Bouddha enseigne alors à Sigala les règles auxquelles chacun doit se conformer pour se parfaire dans cette vie, les vices à éradiquer, tels le crime et le mensonge, la conduite à tenir devant ses parents, ses maîtres ou ses amis. Il lui indique surtout les quatre causes qui poussent chacun à commettre de mauvaises actions : la partialité, l'hostilité, la stupidité et la crainte. Il montre ainsi à Sigala que la vraie spiritualité ne consiste pas à accomplir des rites reçus de la tradition, mais à se transformer soi-même.

C'est exactement la même ligne que suit et prône Socrate. S'il n'a jamais enjoint à ses disciples de se soustraire aux rites religieux, notamment ceux de la cité, il n'a cessé de leur expliquer que le plus important consistait, pour chaque individu, à acquérir la vertu et à devenir moralement bon. À la suite du Bouddha, il met ainsi l'accent sur les exercices spirituels que chacun doit pratiquer pour parvenir à la perfection de son âme. Aux juges qui veulent le condamner à mort pour impiété, il rappelle : « Je n'ai voulu d'autre occupation que celle de vous rendre, à chacun en particulier, le plus grand service en vous exhortant tous individuellement à ne pas songer à ce qui vous appartient accidentellement plutôt qu'à ce qui constitue votre essence, et à tout ce qui peut vous rendre vertueux et sages » (*Apologie* de Platon, 36c). On ne saurait mieux résumer la démarche existentielle qui est au cœur de l'enseignement socratique : c'est à chaque individu que s'adresse Socrate, c'est sur chaque individu qu'il parie en affirmant que chacun peut se parfaire, devenir vertueux et sage. Car, pour lui, la voie de la vertu et de la sagesse est, comme nous venons de le voir, celle de la connaissance. Socrate est convaincu qu'un homme éclairé, un homme qui « se connaît lui-même », ne peut pas choisir le mal. Et cette connaissance salutaire est le fruit de la raison : « Ce n'est pas d'aujourd'hui que j'ai pour principe de n'écouter en moi d'autre voix que celle de la raison », lance-t-il à Criton quand celui-ci vient le retrouver dans sa prison pour lui proposer de s'enfuir (*Criton,* 46b). Comme le souligne André-Jean Festugière, « Socrate est le père de l'autonomie. C'est à partir de Socrate que le sage aura pour premier devoir d'être à lui-même sa loi, de n'agir que selon la raison. Le sage se suffit. Avant d'être citoyen, il est homme[1]. »

La liberté qu'offre Socrate est toutefois une voie ardue et exigeante. Face aux certitudes ô combien rassurantes qu'offrent la loi et la morale du groupe, il ne propose pas d'autres certitudes « toutes faites », mais fonde au contraire ce que j'appellerai « l'école du doute ». Par ses questionnements, il ébranle les certitudes acquises. Par son ironie, il réussit à convaincre ceux qui croient savoir que, en fait, ils ne savent rien. Mais, en même temps, il leur montre qu'ils ont au fond d'eux-mêmes les moyens de connaître ; et, pour accéder à ce savoir caché, qu'il faut qu'ils se tournent vers eux-mêmes.

Jésus appelle ses disciples au même retournement : « Le Royaume de Dieu est à l'intérieur de vous », proclame-t-il (*Luc*, 17, 21)[2]. Il les incite à aller vers eux-mêmes, à chercher Dieu et la vérité au plus profond de leur cœur et de leur conscience, et non pas simplement à travers l'observance du rite. C'est le message que Jésus délivre à la femme samaritaine lorsque celle-ci lui demande s'il faut adorer Dieu sur la montagne de Samarie, comme font les Samaritains, ou au Temple de Jérusalem, comme les Juifs. Il lui répond : « Crois-moi, femme, l'heure vient où ce n'est ni sur cette montagne

1. André-Jean Festugière, *Socrate*, *op. cit.*, p. 127.
2. On traduit généralement cette phrase par « le Royaume de Dieu est au milieu de vous », mais le mot grec *entos* peut aussi signifier « à l'intérieur ».

ni à Jérusalem que vous adorerez le Père [mais] en esprit et en vérité [...]. Dieu est esprit, et ceux qui adorent, c'est en esprit et en vérité qu'ils doivent adorer » (Jean, 4, 21-24). J'ai longuement expliqué dans un autre ouvrage[1] combien, à cette époque, cette parole était scandaleuse dans la bouche d'un homme réputé pieux. En un monde où l'on pense fermement que le salut ne s'acquiert que par la fidèle observance du culte et le respect de la tradition, cette affirmation peut même être qualifiée de révolutionnaire. Sans pour autant nier l'importance du rituel collectif, Jésus le relativise en montrant que l'essentiel est ailleurs. Il renvoie chacun à son intériorité : le véritable temple, c'est le for intérieur de l'être humain, son cœur et son esprit où il rencontre Dieu. Et c'est en écoutant la voix intérieure de sa conscience éclairée par l'Esprit de Dieu qu'il agira de manière vraie, juste et bonne.

C'est la raison pour laquelle il entend aussi émanciper l'individu du groupe. Dans un environnement où chacun est lié à la communauté par des liens d'ordre familial et par des engagements d'ordre social, Jésus demande à ceux qui veulent le suivre de commencer par briser ces chaînes. Lui-même s'est libéré de sa famille et de son clan, noyau de base des sociétés de l'époque, et il exige de ses disciples qu'ils en fassent autant : « Qui aime son père ou sa mère plus que moi n'est pas digne de moi. Qui aime son fils ou sa fille plus que moi n'est pas digne de moi » (Matthieu, 10, 37).

---

1. *Le Christ philosophe*, Plon, 2007, épilogue.

Connaissance et maîtrise de soi

Mais, au-delà de la liberté de choisir, le Bouddha, Socrate et Jésus insistent sur un point essentiel : la véritable liberté est la liberté intérieure, celle que l'on acquiert progressivement en faisant un travail sur soi, en progressant dans la connaissance, en écoutant la voix de l'Esprit. Si ces trois maîtres de sagesse entendent libérer l'individu des chaînes du groupe et du poids de la tradition, ce n'est pas simplement pour le rendre politiquement autonome. C'est pour qu'il puisse accomplir un chemin de libération intérieure. Car, aussi précieuse soit-elle, la liberté politique ne sert à rien si elle ne permet pas à chacun, par ce cheminement personnel, de sortir de l'esclavage le plus profond qui soit : pour Socrate, l'ignorance ; pour Jésus, le péché ; pour le Bouddha, le désir-attachement.

Aux yeux du Bouddha, en effet, la vraie liberté est celle que chaque être humain doit acquérir en combattant ses passions, ses désirs, ses envies, qui sont, de fait, les chaînes qui le lient à la roue du samsara. Tout son enseignement, nous l'avons vu, tient en ces quatre vérités sur la soif et l'attachement qui lient l'individu à la ronde infernale des renaissances. C'est ce qu'il répète aux Kamala, ces sceptiques qui le reçoivent sur leurs terres et lui font part de leur perplexité. C'est en eux-mêmes, et non dans les rites extérieurs, insiste-t-il, que résident les enseignements authentiques. Comme tout être humain, ils peuvent découvrir que l'avidité, la cupidité, le désir, sont mauvais en soi, puisqu'ils conduisent à accomplir des actions elles-mêmes mauvaises et source de malheurs. Ce sont donc les principes du dharma qu'ils doivent suivre plutôt que les enseignements de la tradition ou celle des ascètes (*Anguttara Nikaya*, 3, 65). Ainsi atteindront-ils à la vraie libération. Une libération qui les rendra heureux en cette vie, mais aussi dans toute existence future, en les libérant du processus de renaissance lié au karma.

Pour Socrate, le pire des maux n'est pas le désir-attachement, mais l'ignorance. C'est elle qui est cause de tous les maux : l'erreur, l'injustice, la méchanceté, la vie déréglée – toutes choses qui font du tort à autrui, mais surtout à soi-même. C'est par ignorance, en somme, que les hommes font leur propre malheur. « Il est donc de toute nécessité, Calliclès, que l'homme tempéré qui, ainsi que nous l'avons vu, sera juste, courageux et pieux, soit un homme parfaitement bon, et que l'homme bon agisse bien et noblement dans tout ce qu'il fait, et que celui qui agit bien connaisse félicité et bonheur ; et que le méchant qui agit méchamment soit malheureux » (*Gorgias*, 507b8-c7). Socrate est porté par une conviction inébranlable : c'est par la connaissance de la vraie nature des choses que l'homme se libérera du vice et du malheur. Celui-là qui a accédé à la connaissance du vrai, du juste, du bien, ne peut que devenir un homme bon et vertueux. C'est d'ailleurs dans cette optique qu'il est persuadé de la bonté intrinsèque des dieux. Parce qu'ils possèdent la connaissance, ils sont forcément meilleurs que le meilleur des humains, puisque « ce qui est divin, c'est le beau, le sage, le bon et tout ce qui est tel » (*Phèdre*, 246).

Aidé par un philosophe qui a atteint lui-même à cette libération par le savoir, chacun est donc appelé à accoucher des vérités universelles qu'il porte au plus intime de lui et qui le rendront non seulement libre, mais aussi véritablement heureux.

Le message de Jésus entre encore une fois en résonance avec ceux de Socrate et du Bouddha : « Si vous demeurez dans ma parole, vous êtes vraiment mes disciples et vous connaîtrez la vérité et la vérité vous libérera », promet-il à ceux qui l'écoutent (Jean, 8, 31-32). Et quand ses interlocuteurs, qui se revendiquent de la descendance d'Abraham, lui rétorquent : « Jamais nous n'avons été esclaves de personne », Jésus leur répond que « quiconque commet le péché est esclave », avant de leur promettre : « Si donc le Fils vous libère, vous serez réellement libres » (Jean, 8, 33-36). Le mot « péché » est tellement connoté, après deux mille ans de christianisme, qu'il est difficile d'entendre de manière neuve ce qu'il signifie dans la bouche de Jésus. Dans un souci juridique assez éloigné de l'esprit des Évangiles, l'institution ecclésiale a progressivement établi au fil des siècles une liste de péchés, procédant même à une curieuse distinction entre péchés véniels, qui peuvent être pardonnés, et péchés mortels, qui mènent en enfer, les fameux sept péchés capitaux : la paresse, l'orgueil, la gourmandise, la luxure, l'avarice, la colère, l'envie. Outre le caractère infantile d'une telle liste de péchés – qui relèvent finalement davantage de la morale commune que des Évangiles –, il faut rappeler que Jésus donne une seule définition du mot : ce qui sépare de Dieu, c'est à dire de l'amour et de la vérité. Pécher, c'est se couper de Dieu, c'est agir en dehors de l'amour et de la vérité.

Le mot « péché » est la traduction du latin *peccatum*, qui signifie faute. Il est lui-même la traduction du grec biblique *hamartia*, qui signifie déficience ou erreur, et qui est à son tour la transcription du mot hébraïque *hatta't,* qu'il faudrait traduire au plus juste par l'expression « manquer la cible ». Pécher, c'est se tromper de cible, mal orienter son désir, ou bien ne pas atteindre le véritable objectif visé. Dès lors qu'on agit mal, on est dans l'erreur et on est séparé de la vérité, donc de Dieu. Certes, les fameux sept péchés capitaux font partie des errements qui peuvent éloigner de Dieu. Mais, comme je l'ai déjà indiqué, si Jésus ne va pas à l'encontre de la Loi, il entend lui conférer une profondeur et une résonance personnelles et intérieures. Il n'est pas venu ajouter des lois nouvelles ou définir de nouveaux péchés, mais montrer que tout véritable péché se définit à l'aune de l'amour, et que ce n'est pas par peur de l'enfer qu'il ne faut pas pécher, mais par peur de faire son propre malheur et le malheur d'autrui en s'éloignant de Dieu. En somme, c'est par amour qu'il convient d'éviter le péché, et, après avoir longuement cheminé, après avoir fauté et s'être relevée, l'âme n'est même plus tentée par le péché, car elle a appris à en connaître la nature nuisible. Dès lors qu'il retrouve accès à l'amour et à la vérité, l'homme sort du péché : il renoue avec sa source, il n'est plus coupé, enfermé sur lui-même, dans l'erreur ou l'égoïsme. Il n'y a donc pas de péchés « objectifs » qu'on pourrait lister et considérer comme « définitifs ». Tout vice moral enraciné (l'avarice, l'orgueil, la luxure, etc.) est certainement un péché, mais l'homme peut en sortir à tout instant dès lors qu'il prend conscience de son erreur et modifie son comportement. Et il est d'autres péchés que Jésus dénonce avec beaucoup plus de force dans les Évangiles : l'hypocrisie religieuse et le manque de compassion.

Profonde similarité entre l'enseignement de Jésus et ceux de Socrate et du Bouddha : la gravité du péché n'est pas liée à la faute en soi, mais à l'intention qui y préside, et à son caractère plus ou moins volontaire. Plus la faute est consciente et intentionnelle, plus elle est lourde et asservit celui qui la commet à ses pulsions, à ses passions, à son orgueil ou à son égoïsme. À l'inverse, lorsqu'on commet une faute par ignorance ou par passion aveugle, elle est davantage pardonnable. C'est le sens de cette parole si émouvante que le Christ aura sur la croix par compassion envers ses bourreaux et la foule qui le raille : « Père, pardonne-leur, ils ne savent pas ce qu'ils font. » S'ils avaient su, en effet, ce qu'ils faisaient, et qui était vraiment Jésus, jamais ils n'auraient agi de la sorte.

Le Bouddha, Socrate et Jésus s'accordent donc pour affirmer que l'homme ne naît pas libre, qu'il le devient. Il le devient en sortant de l'ignorance, en apprenant à discerner le vrai du faux, le bien du mal, le juste de l'injuste ; en apprenant à se connaître, à se maîtriser, à agir avec sagesse. Et, pour Jésus, cette formation n'est pas seulement morale, elle ne s'acquiert pas seulement par l'éducation, l'expérience, la connaissance rationnelle, mais aussi par la foi et par la grâce divine qui instruit tout être humain en son propre cœur.

14

Sois juste

La connaissance de soi et de la vérité permet à l'individu d'accéder à une véritable liberté intérieure. Mais, aussi importante soit-elle, la liberté n'est pas une fin en soi. Elle doit permettre à chacun d'agir de manière juste et bonne. Car, de manière ultime, ce qui compte pour le Bouddha, pour Jésus comme pour Socrate, c'est de mener une vie conforme à la vérité. L'éthique, la conduite de vie, la manière de vivre avec les autres et en société, constituent donc le sommet de leur message.

Quel est le couronnement de la vie morale et spirituelle, l'essentiel qui doit être mis en pratique ? Pour Socrate, la vertu suprême est la justice. Pour le Bouddha, la compassion. Pour Jésus, l'amour. J'aborderai dans le dernier chapitre la question de l'amour et de la compassion, qui sont très connexes. Voyons déjà pourquoi la justice est la vertu socratique par excellence ; mais aussi comment elle pose la question de l'égalité de tous les êtres humains – question qui est au cœur de l'enseignement de nos trois maîtres.

La justice, vertu suprême

Pour les Anciens, la justice constitue le sommet de toutes les vertus. Elle est la « vertu complète », selon Aristote (*Éthique à Nicomaque*, V, 3), parce que, sans elle, aucune vertu ne vaut : quelle valeur a en effet à nos yeux le courage d'un tyran ? Un amour injuste ne perd-il pas sa valeur morale ? Ou, comme le rappelle Dostoïevski, pourrait-on se résigner à torturer un enfant innocent pour sauver l'humanité ? La justice sous-tend toute action morale. C'est sans doute la vertu la plus innée, celle que l'enfant ressent comme la plus évidente : « C'est pas juste ! » crie-t-il lorsqu'il se sent victime. Cela tient aussi au fait que la justice est la vertu sociale par excellence, l'un des fondements de la vie commune. Sans justice au sens large du terme – c'est-à-dire sans règles qui apparaissent comme moralement justes, qui se veulent équitables et bien appliquées, sans discernement du vrai et du faux, et sans sanction de la faute –, il n'est pas de vie sociale possible. La justice politique, qui vise à faire appliquer les lois de la cité, doit s'appuyer sur deux notions fondamentales : l'équité et la vérité. La justice apparaît comme « juste » parce qu'elle s'applique à tous de la même manière, et parce qu'elle prend en compte la vérité des faits.

Socrate, qui attache une si grande importance à la vie de la cité, considère la justice comme la vertu suprême, car elle est tout aussi valable pour l'individu en particulier que pour le groupe social dans son ensemble. Un individu doit être juste envers autrui et il se doit de respecter les lois de la cité, lesquelles doivent être aussi équitables et conformes à la vérité que possible. Dès lors, « le plus grand de tous les maux est de commettre une injustice », affirme Socrate (*Gorgias*, 469b). Commettre l'injustice est en effet le pire des crimes : non seulement parce qu'il rend impossible la vie en société, mais aussi parce qu'il souille l'âme de celui qui le commet. Un homme qui a découvert la vérité, un homme bon, un homme vertueux, ne peut être injuste et se doit de se plier aux lois de la cité.

Mais que doit faire l'homme vertueux face à une mauvaise décision de justice ? Socrate n'hésite pas à affirmer, contre l'opinion générale, qu'« il vaut mieux subir l'injustice que la commettre » (*Gorgias*, 509c). Nous avons vu que, condamné à mort par la justice athénienne, Socrate refuse de s'enfuir, ainsi que le lui proposait Criton. Il explique alors à ses amis stupéfiés par son attitude que ce ne sont pas les lois qui le condamnent injustement, mais les hommes, et qu'il ne faudrait pas répondre à une injustice par une autre injustice : se soustraire à la justice de la cité, même mal appliquée, en s'estimant et s'érigeant au-dessus d'elle. Socrate s'en remet alors à la justice des dieux et, laissant parler les Lois, s'exprime ainsi : « Allons, Socrate, fais-nous confiance, à nous les Lois qui t'avons éduqué. Ne confie ni tes enfants, ni ta vie, ni quoi que ce soit au-dessus de la justice, afin de pouvoir, à ton arrivée dans l'Hadès, bien te défendre devant ceux qui là-bas gouvernent » (*Criton,* 54b).

Socrate préfère donc subir l'injustice que se soustraire à la décision des juges de la cité, aussi injuste soit-elle. Et il remet son âme à la justice divine, celle qui ne peut se tromper et qui saura lui rendre justice dans l'au-delà.

On ne peut qu'être troublé devant la similitude entre la mort de Socrate et celle de Jésus : l'un et l'autre auraient pu fuir, et ont refusé. L'un et l'autre ont accepté de subir une injustice morale et une sanction aussi terrible qu'injuste pour ne pas se soustraire à la justice politique de la cité. L'un comme l'autre s'en remettent aux dieux ou à Dieu comme seule véritable instance de jugement.

L'amour de Socrate pour la justice est telle qu'il refuse non seulement de se soustraire à une décision prononcée par la justice de sa cité, mais qu'il récuse aussi l'idée de commettre une injustice à l'encontre de ses ennemis. Il s'agit là encore d'une vision subversive dans une Grèce où il était légitime, voire glorieux, de nuire délibérément aux ennemis (et de gratifier les amis). « C'est un devoir absolu de n'être jamais injuste, même envers celui qui l'a été à notre égard », précise-t-il dans *Criton* (49c). De même, comme nous l'avons vu, que Jésus récuse la loi du talion qui dit « œil pour œil, dent pour dent » (Exode, 21, 24), de même Socrate considère comme une obligation sacrée de ne jamais rendre le mal pour le mal. Cette loi du talion est pourtant considérée en Grèce comme profondément juste et ainsi exprimée par Hésiode au VIIIe siècle avant notre ère : « Car si l'on subissait ce qu'on a fait subir, droite justice serait faite » (fragment 174).

Pour autant, Socrate ne réfute pas, pour celui qui a commis une faute, le principe des châtiments terrestres, tels la mise à mort, le bannissement, le dépouillement d'un individu de tous ses biens, mais à condition que ce soit fait justement (*Gorgias*, 470c). Car, pour lui, ceux qui commettent des fautes sont encore plus malheureux s'ils ne reçoivent pas un juste châtiment de la part « des hommes et des dieux » (*Gorgias*, 472e), dans la mesure où « celui qui est puni est délivré du mal de l'âme », qui est « le plus grand des maux » (*Gorgias,* 477a). Il qualifie ainsi la punition de « médecine morale » (*Gorgias,* 478d).

Cette idée de la nécessité d'une peine pour le coupable est tout aussi présente dans la parole du Bouddha et dans celle de Jésus. Si les notions d'amour, de pardon ou de compassion sont, comme nous le verrons bientôt, au cœur de leur enseignement, elles n'abolissent pas le rôle de la justice ni son corollaire : le châtiment du coupable. Mais ce châtiment ne consiste pas forcément en l'application rigoureuse de la loi humaine, et, en cela, le Bouddha et Jésus se distinguent de Socrate, on ne peut plus attaché aux lois de la cité. Pour le Bouddha, la véritable justice est la justice immanente du karma, par laquelle tout individu subira les conséquences, dans cette vie ou dans une autre, de ses mauvaises actions ; cette loi est inéluctable et nul ne peut s'y soustraire. Quant à Jésus, il renvoie à la justice divine plus encore qu'à celle des hommes, car Dieu seul « peut sonder les reins et les cœurs », comme le dit la Bible, et certaines actions qui peuvent paraître condamnables aux yeux des hommes et de leurs lois ne le sont pas forcément à ceux de Dieu. Ainsi en va-t-il par exemple de cette prostituée qui parfume ses pieds et qu'il refuse de condamner au grand dam de son hôte.

Tous égaux... ou presque

La justice repose sur la vérité, mais aussi sur l'équité. Nous éprouvons spontanément un sentiment d'injustice face à toutes les inégalités, à commencer par la plus criante d'entre elles : l'incroyable disparité des richesses entre les individus et les sociétés. Un enfant, une fois encore, sera toujours choqué de voir d'autres enfants mourir de faim dans certaines régions du monde, ou un homme dormir dans la rue. Résorber l'injustice sociale et économique est un souci politique qui n'a cessé de s'affirmer depuis le XVIIIe siècle et qui a malheureusement échoué de la tragique manière que l'on sait dans les expériences communistes. Face à la disparité des richesses, Socrate, Jésus et le Bouddha ne prônent pas une stricte égalité, ne serait-ce que parce qu'ils savent qu'il n'y a pas de véritable égalité entre les humains, si divers par leurs capacités et leurs talents. Ils donnent eux-mêmes, on l'a vu, l'exemple du détachement et d'une certaine pauvreté volontaire, et appellent les riches au partage, comme s'ils savaient que l'égalité économique était impossible à mettre en œuvre par une simple volonté politique. Ils en appellent donc à la conscience de chaque individu pour qu'il pratique de lui-même une plus juste répartition matérielle. C'est parce que les individus se transformeront et accepteront librement de partager que les injustices sociales et économiques diminueront plus sûrement. Leurs disciples immédiats, que ce soient les apôtres du Christ ou les moines du Bouddha, ont donné l'exemple collectif d'un renoncement ou d'un partage total des biens. On dirait aujourd'hui qu'ils en appellent à la « société civile », c'est-à-dire à des individus organisés sur la base du volontariat pour faire évoluer la société.

Il est toutefois un autre aspect de leur message qui met ouvertement l'accent sur l'égalité des individus. La justice, telle qu'ils la conçoivent, implique nécessairement l'égalité de tous devant la loi, que cette loi soit humaine, divine ou karmique. Pour Socrate, tous les citoyens sont égaux devant la loi. Le Bouddha affirme que chaque individu subira la loi de rétribution du karma, quelle que soit sa condition. Et, pour Jésus, tous les êtres humains sont égaux devant Dieu, qui les jugera non en fonction de leur statut social, ou même de leur religion, mais uniquement d'après l'intention de leurs actes et leur amour du prochain.

Par ailleurs, dans la mesure où il s'adresse à l'individu et se veut universel, l'enseignement de Socrate, de Jésus et du Bouddha a aussi une dimension égalitaire : tout être humain peut effectuer un chemin spirituel, chercher la vérité, devenir libre, accéder à la connaissance véritable et au salut ; nous sommes tous égaux face à l'énigme de l'existence, face à la mort, face à la nécessité et aux difficultés de se connaître et de travailler sur soi. En appelant à la justice et à la liberté individuelle, le message de Socrate, de Jésus et du Bouddha revêt donc une dimension fortement égalitaire, même si certains préjugés sociaux – concernant la femme, notamment – y demeurent encore tenaces.

Le Bouddha a franchi un pas capital en considérant comme obsolète le système des castes et en l'abolissant au sein du *sangha*. Au-delà de l'égalité sociale, c'est aussi la compassion envers tous les êtres vivants que prône le sage indien en ignorant définitivement la distinction entre maîtres et esclaves, riches et pauvres, nobles et roturiers, mais aussi entre dieux, humains et animaux. Néanmoins, même si, dès les premiers temps, il a indifféremment prêché aux hommes et aux femmes, le Bouddha aura hésité avant de permettre à ces dernières de rejoindre la communauté de ses disciples. Selon le récit rapporté dans le *Vinaya Cullavagga* (10, 1), sa tante Pajapati, qui l'avait élevé à la mort de sa mère, vint à trois reprises le supplier de l'admettre parmi les siens, se heurtant chaque fois à un refus catégorique. À la quatrième tentative, Pajapati se présenta au Bouddha vêtue de la robe des renonçants, les cheveux coupés, entourée d'autres femmes du clan Sakya venues, en larmes, réclamer le droit d'intégrer l'ordre. Ananda, le plus proche compagnon du Bouddha, a alors intercédé en faveur de Pajapati et de ses compagnes, rappelant au Bouddha que, selon ses propres termes, le dharma s'adresse à tous les êtres vivants. « Les femmes qui choisissent la voie de l'ascèse telle que proclamée par le Bouddha peuvent-elles jouir du fruit de leur conversion ? » demande Ananda. « Elles le peuvent », répond le Bouddha, qui finit par céder à la requête, mais en posant huit conditions qui, de fait, établissent l'infériorité des moniales par rapport aux moines. Ainsi, elles ne peuvent passer la saison des pluies en un lieu où ne se trouve pas au moins un moine (qui leur dispensera ses enseignements deux fois par mois), elles ne peuvent non plus présider à leurs propres rituels ni admonester un moine – quand bien même il serait beaucoup plus jeune qu'elles (alors que l'inverse est autorisé). Et le Bouddha d'achever ainsi son discours : « Si les femmes n'avaient pas obtenu la permission d'abandonner la vie de famille pour rejoindre le *sangha*, la Loi aurait duré mille ans. Mais, maintenant que les femmes ont reçu cette permission, la pure religion ne durera pas aussi longtemps, mais seulement cinq cents ans » (*Vinaya Cullavagga*, 10, 1, 6). Dans ses dernières paroles avant de s'éteindre, le Bouddha rappellera d'ailleurs à son fidèle Ananda, qui l'interroge sur la manière de se comporter avec les femmes : « Ne les voyez pas, ne leur parlez pas » (*Mahaparinirvana*, 5, 23). Cette forme de misogynie a perduré au fil des siècles : les moniales bouddhistes sont toujours reléguées à des tâches subalternes dans les monastères, et surtout la tradition considère qu'il est bien plus favorable, voire indispensable, de naître dans un corps d'homme pour atteindre l'Éveil. Le dalaï-lama et d'autres maîtres bouddhistes vivant en Occident tiennent aujourd'hui un discours moins discriminant, voire ouvertement féministe, mais c'est justement par le contact des sociétés occidentales que la cause des femmes a pénétré la religion bouddhiste.

« Loin de parler quand on me paie, et de me taire quand on ne me donne rien, je laisse également le riche et le pauvre m'interroger », affirme Socrate dans l'*Apologie* de Platon (33b). Dans l'Athènes de son époque, le philosophe qui arpentait l'agora était en effet réputé exercer indifféremment sa maïeutique sur les riches et les pauvres, les grands guerriers et les simples artisans. « Je ne cesse de vous dire que ce n'est pas la richesse qui fait la vertu ; mais, au contraire, que c'est la vertu qui fait la richesse, et que c'est de là que naissent tous les autres biens publics et particuliers », plaide-t-il devant le tribunal (*Apologie*, 30b). Néanmoins, Socrate n'aura pas été jusqu'au bout de sa logique égalitaire, celle qu'il prônait et qui lui faisait dire que tous les hommes ont accès à la connaissance pour peu qu'ils veuillent s'engager sur ce chemin. Il adopte en effet les normes athéniennes relatives aux « non-citoyens », c'est-à-dire aux esclaves, aux femmes et aux étrangers, trois catégories exclues du champ de la démocratie et qui, à de rares exceptions près, sont également exclues du champ de ses interlocuteurs. On le voit ainsi lancer à Cébès : « Si l'un des esclaves qui t'appartiennent se suicide sans que tu lui en donnes l'ordre, ne te mettrais-tu pas en colère contre lui et ne le punirais-tu pas, si tu le pouvais ? » (*Phédon*, 62c). En même temps, il ne peut s'empêcher de déroger à cette règle, comme s'il la pressentait injuste, en dépit de son sens civique si développé. Comment ne pas souligner que c'est le même Socrate qui demanda à Criton de racheter pour lui l'esclave Phédon, et qui en fit un philosophe ? Comment ne pas relever sa repartie, rapportée par Diogène Laërce, à celui qui lui dit un jour sur un ton méprisant que son disciple Antisthène était fils d'une étrangère, une femme de Thrace – ce qui l'excluait de la pleine citoyenneté athénienne : « Tu croyais donc qu'un tel homme pouvait être né de deux Athéniens ? » Et s'il ne s'adresse presque jamais aux femmes, il se reconnaît cependant deux maîtresses dans l'art de philosopher : Diotime, à laquelle il fait référence dans *Le Banquet* pour parler de l'amour, et Aspasie, la compagne de Périclès, qui, dit-il, lui enseigna l'art de la rhétorique. Aspasie était de surcroît une étrangère dont il affirme qu'elle « a formé beaucoup d'excellents orateurs, à commencer par Périclès, le plus grand de tous » (*Ménexène*, 235e). Il est vrai que, rendue libre par sa qualité de courtisane, protégée par le brillant Périclès – qui, faute de pouvoir l'épouser, puisqu'elle était étrangère, la mit en avant dans le monde intellectuel et la fit participer aux débats de son époque –, Aspasie n'était pas une « femme comme les autres », de celles qui, selon la logique athénienne de l'époque, avaient pour seules fonctions d'enfanter et de gérer le foyer. Rappelons aussi qu'avant de mourir Socrate demanda qu'on éloigne sa femme et ses enfants pour rester, à l'instant fatal, « entre hommes » de bonne compagnie.

Jésus a lui aussi affirmé avec force le respect égal auquel chacun a droit en tant qu'être humain, s'inscrivant, à l'instar du Bouddha, en rupture avec la morale de son temps, qui reconnaissait le prochain uniquement parmi les siens : ceux du même peuple, de la même cité, de la même caste, du même clan. Cette égalité revendiquée pour tous les humains, fils d'un même Dieu et donc frères, est la pierre angulaire du Royaume qu'il proclame et dont l'édification a déjà commencé. Il exprime cette égalité en privilégiant les pauvres, les exclus, les prostituées, autrement dit tous ceux qui ont été mis au ban de la société. Il l'exprime en refusant la distinction entre purs et impurs, en fréquentant les lépreux et les publicains, en s'adressant aux enfants que l'on essaie d'éloigner de lui, en acceptant même des païens parmi ses proches, tel le centurion romain de Capharnaüm dont il dit avec admiration :

« En vérité, je vous le dis, chez personne je n'ai trouvé une telle foi en Israël » (Matthieu, 8, 10).

L'accent mis par Jésus sur la notion de « prochain » amène l'un de ses disciples à lui demander : « Et qui est mon prochain ? » Et Jésus de lui répondre par la parabole du bon Samaritain. Celui-ci, qui appartient à un peuple méprisé, est en chemin quand il aperçoit un inconnu abandonné par des bandits qui l'ont dépouillé de tous ses biens et laissé pour mort. Un prêtre et un lévite passent devant cet inconnu en feignant de ne pas le voir. Le Samaritain, lui, le soigne, puis le porte jusqu'à une auberge où il le laisse en convalescence en subvenant à tous ses besoins. « Lequel de ces trois, à ton avis, s'est montré le prochain de l'homme tombé aux mains des brigands ? » demande Jésus. « Celui-là qui a exercé la miséricorde envers lui », répond le disciple. « Va, et toi aussi, fais de même », lui ordonne alors Jésus (Luc, 10, 29-37).

Jésus apparaît comme le plus féministe de nos trois sages. Il n'hésite pas à s'adresser aux femmes, y compris aux prostituées et aux étrangères, qui, jugées impures, sont alors exclues de la charité que la Loi impose d'exercer, mais uniquement à destination des purs parmi le peuple d'Israël. Il accueille la pécheresse qui lui arrose les pieds de larmes et de parfum, puis les essuie avec ses cheveux, et il rabroue son hôte, Simon le pharisien, qui s'en offusque : « Ses péchés, ses nombreux péchés, lui sont remis parce qu'elle a montré beaucoup d'amour. » Puis il dit à la femme : « Ta foi t'a sauvée ; va en paix » (Luc, 7, 36-50). C'est la même phrase qu'il répète à la femme hémorragique qui se jette à ses pieds et le touche en dépit de son impureté

(Marc, 5, 25-34). Jésus s'adresse aux femmes, qu'il sait opprimées, avec une infinie mansuétude, et les considère comme les égales des hommes : quand elle l'accueille chez elle, Marie, la sœur de Marthe, abandonne les tâches domestiques pour s'asseoir à ses côtés et écouter ses enseignements comme le ferait un homme (Luc, 10, 38-42). Lui-même les écoute, telle cette Cananéenne, une étrangère dont il guérit la fille, ou la Samaritaine, étrangère elle aussi, cinq fois divorcée et vivant en concubinage (Jean, 4, 7-30). Il lui parle alors qu'ils sont seuls, transgressant les conventions ; ses disciples, qui surprennent ce tête-à-tête, sont surpris mais n'osent l'interroger.

Malgré tout, il ne choisira que des hommes pour constituer son cercle rapproché de douze apôtres. Est-ce là une concession aux mentalités de l'époque, qui n'auraient pu admettre la présence de femmes dans ce cercle restreint ? Ou bien une décision fondée sur une raison théologique, comme l'affirme l'Église pour continuer de refuser l'accès des femmes au sacerdoce ? Impossible de trancher à partir des propres paroles de Jésus. On peut cependant rappeler ce fait significatif : les Évangiles nous disent que c'est à une femme, Marie de Magdala, qu'il aura apparu en premier, le dimanche de Pâques. Elle est ainsi la première disciple de Jésus à annoncer la « bonne nouvelle » de sa résurrection. Elle est l'apôtre des apôtres.

15

Apprends à aimer

Pour le Bouddha et pour Jésus, il y a une double vertu plus importante encore que la justice : l'amour désintéressé et la compassion. Dans l'Évangile de Jean, l'épisode de la femme adultère illustre de manière éclatante ce nécessaire dépassement de la justice par l'amour. Même si elle a déjà été évoquée plus haut, la scène mérite d'être racontée en détail, car elle est de bout en bout exemplaire.

Jésus arrive de bon matin sur le parvis du Temple de Jérusalem et enseigne la foule. Surgissent alors des scribes et des pharisiens, c'est-à-dire des notables religieux attentifs au respect de la Loi. Ils placent devant Jésus une femme qu'ils ont prise en flagrant délit d'adultère, et lui rappellent que la Loi de Moïse ordonne la lapidation pour châtier un tel délit. Leur but est de mettre Jésus à l'épreuve : ils se doutent qu'il refusera qu'on mette à mort cette femme, et manifestera ainsi devant le peuple, très attaché à la religion, son refus de faire appliquer la Loi donnée par Moïse. Plutôt que de répondre, Jésus se baisse et trace quelque chose sur le sol. Nul ne sait ce qu'il a alors écrit, mais, à notre connaissance, ce sont là les seuls mots jamais tracés de sa main. Il est clair que, par cet abaissement, il refuse la confrontation violente du regard avec ses interlocuteurs. Il laisse passer un temps de silence, se redresse et leur dit : « Que celui d'entre vous qui est sans péché lui jette le premier une pierre. » Puis, évitant toujours la confrontation, il se baisse à nouveau et continue d'écrire sur le sol. Les accusateurs de la femme pécheresse se retirent alors un à un. « À commencer par les plus vieux », précise l'Évangile, non sans humour.

Se retrouvant seul face à la femme, Jésus peut alors se redresser. Il n'a pas cherché à humilier ses accusateurs en les toisant, il s'est effacé, il s'est mis en retrait pour les laisser seuls face à leur conscience. C'était sans doute aussi le meilleur moyen de sauver la vie de cette malheureuse qu'on est allé chercher à l'aurore dans le lit de son amant et qu'on a traînée, sans doute à moitié nue, jusque sur le parvis du Temple. Faisant cercle autour d'eux, la foule et ses disciples assistent à la scène dans un silence dont on imagine l'intensité dramatique. Alors seulement il s'adresse à l'accusée : « "Femme, où sont-ils ? Personne ne t'a condamnée ?" Elle dit : "Personne, Seigneur." Alors Jésus dit : "Moi non plus, je ne te condamne pas. Va ; désormais ne pèche plus." » (Jean, 8, 1-11).

Jésus refuse donc d'appliquer la peine prévue par la Loi. Il reconnaît certes la réalité de la faute, puisqu'il lui demande de ne plus pécher. Mais il juge assurément la peine disproportionnée et ressent de la compassion pour cette femme, comme d'ailleurs pour tous les pécheurs qu'il rencontre. Par ce geste, il témoigne que le pardon dépasse la Loi, et, surtout, qu'il est infiniment plus efficace pour sauver les âmes de leur aveuglement et de leur faiblesse.

Jésus montre que l'amour et la compassion sont au-dessus de la justice. Il faut certes qu'il y ait des règles, des lois, des bornes, et nulle part il n'en conteste la nécessité, mais, pour lui, l'application de la justice doit se faire avec miséricorde, en tenant compte de chaque personne, de son histoire, du contexte, mais aussi de l'intention, de ce qui se passe dans l'intimité de l'âme, que nul ne peut sonder et encore moins condamner de l'extérieur.

C'est là une question qui reste d'une actualité brûlante. On le voit avec une récente affaire (mars 2009) survenue au Brésil, le cas de cette fillette de neuf ans tombée enceinte de jumeaux après avoir été violée par son beau-père. L'archevêque de Recife a prononcé l'excommunication de la mère et de l'équipe médicale qui ont pratiqué un avortement pour sauver la vie de la fillette. Le cardinal Battista Re, préfet de la Congrégation pour les évêques et bras droit du pape Benoît XVI, a confirmé la sentence, expliquant que l'archevêque n'avait fait que rappeler le droit canon qui excommunie *de facto* toute personne pratiquant l'avortement, quelle qu'en soit la raison. On imagine la scène évangélique transposée aujourd'hui : les cardinaux et les spécialistes du droit canon font comparaître la mère de la fillette et le médecin devant Jésus et lui disent : « La Loi nous ordonne de les excommunier. Toi, que dis-tu ? » On devine aisément la suite… et on se dit que, décidément, l'histoire ne cesse de se répéter ! Jésus est venu dire que l'amour donne tout son sens à la Loi, que la justice sans la miséricorde perd son humanité et son sens, et qu'il n'y a, tout compte fait, que des cas particuliers.

Mais, avant de développer ce message et de voir combien celui du Bouddha lui est proche tout en s'en distinguant, j'aimerais revenir à Socrate. Pourquoi l'amour ne semble-t-il pas tenir une place importante dans sa philosophie morale ? Pourquoi considère-t-il la justice et non l'amour comme la vertu suprême ? Tout simplement parce que, pour lui, l'amour n'est pas une vertu. Ni vertu humaine, comme pour le Bouddha, ni vertu divine, comme pour Jésus. L'amour est un élan, un désir produit par un manque, et Socrate s'en méfie autant qu'il le loue. Parce qu'elle est très éclairante et rejoint par bien des aspects ce que nous pensons spontanément, la conception socratique de l'amour nous aidera à mieux comprendre celle, fort différente, de Jésus et du Bouddha.

L'éros socratique

C'est dans *Le Banquet* que Platon rend compte de la vision socratique de l'amour. On a surtout retenu de ce merveilleux dialogue – le premier que j'aie moi-même découvert, adolescent – le fameux discours d'Aristophane. Le poète explique que nous étions jadis composés d'un corps double. Les mâles avaient deux sexes masculins, les femelles, deux sexes féminins, et les androgynes, un sexe de chaque genre. Malheureusement, Zeus décida de couper en deux nos lointains ancêtres. Depuis lors, nous ne faisons que recherchere notre moitié, qui, quel que soit notre sexe, peut être homme ou femme, selon la nature de notre double originel. Pour Aristophane, cette quête est précisément ce qu'on appelle l'amour. L'amour est désir de retrouver notre unité originelle perdue. Et il procure le plus grand des bonheurs quand il permet de retrouver notre moitié et de restaurer ainsi notre pleine nature.

Si nous aimons ce discours d'Aristophane, c'est parce qu'il nourrit nos rêves de grand amour, de totale complétude avec l'être aimé. L'amour devient ainsi une véritable quête du Graal : trouver l'âme sœur et s'unir de nouveau à elle pour toujours. Aristophane peut être considéré comme le véritable inspirateur de l'amour romantique tel qu'il se développera bien plus tard en Occident. Mais, au-delà de l'aspect mythique du récit, cet amour-là existe-t-il vraiment ? L'expérience du plus grand nombre, hélas, montre que non ! Ou du moins que c'est chose rarissime. L'amour absolu et indéfectible, l'unité totale entre deux êtres, semblent davantage relever d'un fantasme fusionnel pour lequel la psychanalyse d'abord, les diverses sciences du psychisme à sa suite, ont pu trouver diverses explications.

Socrate ne croit pas non plus au mythe d'Aristophane, mais il en retient néanmoins un aspect essentiel : l'amour est bien désir de quelque chose qui nous manque. C'est d'ailleurs la raison pour laquelle l'amour ne peut être divin : les dieux n'éprouvent aucun manque ! « Ce qu'on n'a pas, ce qu'on n'est pas, ce dont on manque : voilà les objets du désir et de l'amour », explique Socrate (*Le Banquet*, 200e). Partant de ce constat, le philosophe va parler de l'amour en évoquant un autre mythe, celui d'Éros. Et, chose suffisamment rare pour être soulignée, il prétend avoir reçu cet enseignement d'une femme : Diotime. Cette femme de Mantinée lui a enseigné que l'amour, ne pouvant être un dieu, est en fait un *daïmon*, un intermédiaire entre les dieux et les hommes. Toujours insatisfait, toujours en mouvement, toujours en quête de son objet, toujours mendiant, Éros conduit les hommes à désirer des choses aussi diverses que la richesse, la santé, les honneurs, les plaisirs des sens, etc. Mais, de manière ultime, ce qu'ils désirent par-dessus tout, c'est l'immortalité. C'est la raison pour laquelle ils font des enfants et créent des œuvres, qu'elles soient d'art ou de l'esprit. Malgré tout cela, chacun sait au fond de lui-même que la mort demeure une réalité incontournable, et que ni l'amour de nos enfants ni celui de nos œuvres ne nous conduira jamais vers un bonheur durable.

Diotime révèle alors à Socrate une voie spirituelle conduisant par l'amour jusqu'au Bien suprême qui seul peut nous combler. S'élevant par degrés, c'est par l'amour de la beauté que l'âme accède au Beau et au Bien suprêmes qui sont les deux faces d'une même réalité. L'âme s'attache d'abord à un beau corps en particulier, puis à la beauté des corps en général. S'élevant toujours plus, elle s'attache ensuite à la beauté des âmes, puis à la beauté de la vertu, des lois et des sciences, avant d'accéder enfin, au terme de ce long parcours initiatique, à la beauté en soi, qui est divine. Son bonheur est alors sans limite : « Voilà où se situe le moment où, pour un être humain, la vie vaut vraiment d'être vécue, parce qu'il contemple la beauté en elle-même, conclut Diotime par la bouche de Socrate. Si, un jour, tu parviens à cette contemplation, tu verras que cette beauté est sans commune mesure avec l'or, les atours, les beaux enfants et les beaux adolescents dont la vue te bouleverse à présent. Vous êtes prêts à vous priver de manger et de boire pour contempler vos bien-aimés et jouir de leur présence. À ce compte, quels sentiments pourrait éprouver un homme qui parviendrait à contempler la beauté en soi, simple, pure, sans mélange [...], celle qui est divine dans l'unicité de sa forme ? » (211d-e).

Que retenir du discours socratique sur l'amour ? Que l'amour humain est un désir perpétuellement insatisfait, mais qu'il peut trouver son apaisement, au terme d'un long chemin spirituel, dans la contemplation mystique de l'absolu. En cela, Socrate rejoint ce que diront plus tard bien des mystiques juifs, chrétiens ou musulmans : l'amour est un désir de Dieu qui s'ignore et qui ne trouve son repos qu'en Dieu. Même l'adepte de la sexualité la plus débridée est, sans le savoir, en quête du Bien et de la Beauté suprêmes, de Dieu. Il se trompe seulement d'objet. Car tout amour et tout désir doivent simplement trouver leur juste cible. Nous rejoignons ici l'enseignement de Jésus sur le péché, dont l'étymologie hébraïque signifie, comme nous l'avons vu, « se tromper de cible ». Dans une telle perspective, l'amour, comme le soutient Socrate, est un élan, une force qui nous meut, mais elle n'est en rien une vertu, puisque la vertu est un couronnement, une qualité stable de l'âme. L'amour peut conduire au meilleur comme au pire. On peut se sacrifier par amour, on peut aussi tuer par amour. On peut s'attacher par amour à ce qui nous fait du mal comme à notre plus grand bien. L'amour en soi n'est ni une qualité ni un défaut, ni une vertu ni un vice, ni un bien ni un mal. L'amour est cette force universelle aveugle qui nous pousse sans cesse à rechercher quelque chose qui nous manque, et qui demande à être éduquée, maîtrisée et ordonnée.

Jésus ne renierait pas cette définition de l'*éros*, mais il donne aussi un tout autre sens au mot « amour », et, ce faisant, il en fait, contrairement à Socrate, la vertu suprême.

L'amour christique

Bien avant Jésus, Aristote, le brillant disciple de Platon, avait déjà fait évoluer la notion d'amour. Pour lui, l'amour n'est pas que désir. Il peut aussi se manifester dans l'amitié qui permet à des êtres humains de se réjouir ensemble dans un partage réciproque. Cet amour d'amitié, qu'il nomme *philia*, pour le distinguer d'*eros*, Aristote n'hésite pas à affirmer qu'il constitue, avec la contemplation divine, la plus noble activité de l'homme, celle qui lui permet d'être véritablement heureux (*Éthique à Nicomaque*). Cette conception ne supprime en rien la vision socratique, mais la complète : sans aller jusqu'à la contemplation divine, l'amour humain peut s'épanouir dans le plaisir et la joie ; il n'est plus seulement une pulsion, un désir fondamentalement ambivalent, ni toujours un manque ou une insatisfaction. Aristote fait ainsi de l'amour une expérience joyeuse et une vertu.

De l'amour, Jésus dira encore autre chose qui n'abolit pas non plus ces deux conceptions de l'*eros* et de la *philia*. C'est la raison pour laquelle les auteurs des Évangiles chercheront dans la langue grecque un troisième mot pour désigner la conception christique de l'amour : *agapè*. Partant du discours de Jésus, ce mot introduit une nouvelle dimension qui va au-delà du désir-*éros* ou de l'amitié-*philia*. *agapè* est un amour où dominent la bienveillance et le don.

Comme je l'ai expliqué dans le chapitre sur la vérité, Jésus se présente comme celui qui vient révéler que « Dieu est amour ». Pour lui, l'amour est le nom même de Dieu. L'amour dont il est ici question n'est pas un manque, ce qui en excluait les dieux chez Socrate ; c'est au contraire une plénitude d'être. Jésus affirme que Dieu aime tous les hommes d'un amour totalement désintéressé et inconditionnel. Et son amour devient le modèle dont les hommes doivent s'inspirer pour aimer Dieu et leur prochain.

Comment Jésus fait-il comprendre à ses disciples le caractère de cet amour divin qui aime sans attendre d'être aimé en retour, qui donne gratuitement, qui veut le bien de tout être par pure bonté ? Il part de ce qu'ils connaissent le mieux : les Écritures et la Loi mosaïque. Il reprend ainsi à son compte la fameuse « règle d'or » que l'on retrouve dans la Bible, mais aussi dans toutes les cultures antiques : « Ne fais à personne ce que tu n'aimerais pas subir » (Tobie, 4, 15). Mais il entend apporter à cette règle une portée nouvelle en la rendant véritablement universelle. La Bible, en effet, exhorte à l'amour du prochain (Lévitique, 19, 18) sur lequel insistent plusieurs sages du Talmud, tel rabbi Aquiba, le qualifiant de « plus grand précepte de la Loi[1] ». La définition biblique du « prochain » reste toutefois restrictive, le plus souvent liée à l'appartenance au même peuple, et il faut attendre la première moitié du Ier siècle pour que Philon, philosophe juif pétri de culture grecque, l'étende aux étrangers, qu'il recommande d'aimer « non seulement comme des amis, comme des parents, mais comme soi-même[2] ». Cette règle d'or, réservée aussi par les Grecs et les Romains aux amis et aux seuls citoyens, Jésus entend qu'elle soit appliquée à tout être humain : homme, femme, enfant, étranger. Il ne donne aucune limite à la définition de ce prochain : « Si vous aimez ceux qui vous aiment, quelle récompense aurez-vous ? Les publicains eux-mêmes n'en font-ils pas autant ? Et si vous réservez vos saluts à vos frères, que faites-vous d'extraordinaire ? Les païens eux-mêmes n'en font-ils pas autant ? Vous donc, vous serez parfaits comme votre Père céleste est parfait » (Matthieu, 5, 46-48).

Pour Jésus, Dieu ne fait pas de différence entre les êtres humains. Il est un « père » juste et bon, qui aime équitablement tous ses enfants, qu'ils soient bons ou mauvais, justes ou ingrats. C'est la raison pour laquelle Jésus franchit un pas de plus et affirme que l'amour doit s'étendre jusqu'aux ennemis, ce qui constitue un choc profond pour son auditoire : « Vous avez entendu qu'il a été dit : Tu aimeras ton prochain et tu haïras ton ennemi. Eh bien ! moi je vous dis : Aimez vos ennemis et priez pour vos persécuteurs, afin de deve-

1. *Midrash Sifra*, Lv 19, 18.
2. *De virtutibus*, 103.

nir fils de votre Père qui est aux cieux, car il fait lever son soleil sur les méchants et sur les bons, et tomber la pluie sur les justes et sur les injustes » (Matthieu, 5 43-45). Par cette parole, Jésus brise la loi fondamentale de réciprocité qui règle les rapports humains dans toute société. L'amour dont il parle va plus loin que l'amour biblique du prochain, lequel excluait les ennemis, ou que la *philia* d'Aristote qui exigeait une réciprocité des sentiments entre amis. L'amour dont il parle, l'*agapè*, se calque sur le modèle divin : c'est un amour de pure bienveillance. L'amour christique n'est plus un sentiment naturel ni un sentiment partagé, il devient véritablement un commandement universel qui nous enjoint d'aimer tout être humain comme Dieu l'aime, comme Dieu nous aime. Par ses paroles, mais plus encore par ses actes, Jésus entend témoigner de cet amour inconditionnel. C'est pourquoi, à la veille de mourir, il pourra dire à ses disciples : « Comme je vous ai aimés, aimez-vous les uns les autres » (Jean, 13, 34).

Dans son remarquable *Petit Traité des grandes vertus* (PUF), André Comte-Sponville fait remarquer que « l'amour ne se commande pas, et ne saurait être un devoir » (p. 291). Que ce soit d'amour-*éros* ou d'amour-*philia*, en effet, on n'aime jamais par injonction. On aime par désir ou par plaisir, par pulsion ou par choix, jamais parce qu'on nous le commande. Et c'est bien là toute la difficulté de l'amour de bienveillance dont parle Jésus et qu'il propose comme un « commandement nouveau » (Jean, 13, 34). Puis, s'appuyant sur Kant, André Comte-Sponville montre que l'amour du prochain, tel que le définissent la Bible et surtout le Christ, est un « idéal » auquel il faut tendre, un idéal de sainteté qui guide et éclaire. Comme toute autre vertu, ce type d'amour peut donc s'acquérir. On n'aime pas son prochain (surtout quelqu'un qui nous est indifférent, ou son ennemi) spontanément : on apprend à l'aimer comme on apprend à être juste ou tempérant. Le philosophe explique ainsi que, de même que la politesse est un semblant de morale, de même la morale est un semblant d'amour : « Agir moralement, c'est agir comme si l'on aimait [...]. Comme la morale libère de la politesse en l'accomplissant (seul l'homme vertueux n'a plus à agir comme s'il l'était), l'amour, qui accomplit à son tour la morale, nous en libère : seul celui qui aime n'a plus à agir comme s'il aimait. C'est l'esprit des Évangiles ("Aime, et fais ce que tu veux") par quoi le Christ nous libère de la Loi en l'accomplissant, explique Spinoza, c'est-à-dire en la confirmant et en l'inscrivant à jamais "au fond des cœurs"[1] » (p. 295).

Jésus entend donc graver la Loi au fond des cœurs, éduquer ses interlocuteurs à aimer de manière bienveillante et désintéressée. Il est un éducateur de l'amour-*agapè*. Et, pour cela, il commence par accomplir la Loi, c'est-à-dire par montrer, comme le rappelle Spinoza, que la Loi n'a de sens qu'en fonction de l'amour qui la motive et dont elle n'est qu'une pédagogie. Les exemples abondent dans les Évangiles. L'amour du prochain est au-dessus des lois religieuses :

---

1. La référence à Spinoza est tirée de son *Traité théologico-politique*, chapitre IV. Baruch Spinoza, qui fut exclu de la synagogue en 1656, ne s'est jamais converti au christianisme, mais considérait le Christ comme le plus grand maître spirituel.

« Lequel d'entre vous, si son fils ou son bœuf vient à tomber dans un puits, ne l'en tirera aussitôt, le jour du shabbat ? » demande-t-il afin de justifier ses transgressions du jour sacré de repos des juifs pour accomplir des guérisons (Luc, 14, 5) ? L'amour du prochain est plus important que le culte : « Si [...] tu te souviens que ton frère a quelque chose contre toi, laisse là ton offrande, devant l'autel, et va d'abord te réconcilier avec ton frère ; puis reviens, et alors présente ton offrande » (Matthieu, 5, 23-24).

L'éducation à l'amour-*agapè* passe nécessairement par une phase d'apprentissage, de compréhension, d'effort, puisque non seulement il n'a rien de spontané, mais qu'il met à mal l'égoïsme naturel du cœur humain. Pour Jésus, cependant, cet amour est aussi transmis à l'homme par Dieu, qui l'aide à aimer de la même manière que lui-même aime. L'*agapè* « est infusé » dans les cœurs par Dieu, diront par la suite les théologiens chrétiens. Ce n'est pas une vertu morale, mais une vertu « théologale », c'est-à-dire qui vient de Dieu et qui conduit à Dieu. Et Jésus se présente non seulement comme le grand éducateur de l'amour, par son discours et ses gestes, mais aussi comme son médiateur. Il promet d'intercéder auprès de Dieu pour qu'il donne sa grâce et apprenne à aimer à tout être humain qui fera appel à lui : « Tout ce que vous demanderez en mon nom, je le ferai [...]. Si quelqu'un m'aime, il gardera ma parole, et mon Père l'aimera et nous viendrons vers lui et nous nous ferons une demeure chez lui » (Jean, 14, 13 et 23).

Jésus explique que, lorsque l'amour divin, donné par grâce avec la coopération de l'homme, s'enracine dans les cœurs, il cesse d'être un effort. Il coule telle « une source vive » (Jean, 4), il rend libre, heureux, joyeux. Ce n'est plus le plaisir lié à la satisfaction du désir. C'est la joie du don. Une expérience que chacun peut faire : la joie de donner gratuitement, sans rien attendre en retour, pas même un remerciement ou un signe de gratitude. C'est une expérience que font tous les jours ceux qui consacrent totalement leur vie à Dieu ou à leur prochain. Saint Paul, qui élaborera toute une théologie du salut par le Christ, mais ne citera curieusement que très peu de paroles de Jésus, en rapporte pourtant une qui n'a pas été conservée dans les Évangiles et qui est emblématique : « Il faut [...] se souvenir des paroles du Seigneur Jésus qui a dit lui-même : Il y a plus de bonheur à donner qu'à recevoir » (Actes, 20, 35).

Quand l'amour commence à prendre racine, quand il n'est plus un effort, quand il devient véritablement une vertu, on retrouve dans l'amour-*agapè* les caractéristiques de l'amour-*philia* lorsqu'il s'épanouit entre amis : le plaisir et la joie. Mais ce bonheur est lié à un partage réciproque entre l'être humain et Dieu ou le Christ. Il s'agit d'une amitié divine. C'est pourquoi Jésus dit à ses disciples : « Comme le Père m'a aimé, moi aussi je vous ai aimés. Demeurez en mon amour. Si vous gardez mes commandements, vous demeurerez en mon amour, comme moi j'ai gardé les commandements de mon Père et je demeure en son amour. Je vous dis cela pour que ma joie soit en vous et que votre joie soit complète. Voici quel est mon commandement : vous aimer les uns les autres comme je vous ai aimés. Nul n'a plus grand amour que celui-ci : donner sa vie pour ses amis. Vous êtes mes amis, si vous faites ce que je vous commande. Je ne vous appelle plus serviteurs, car le serviteur ne sait pas ce que fait son maître ; mais je vous appelle amis, parce que tout ce que j'ai entendu de mon Père, je vous l'ai fait connaître » (Jean, 15, 9-15).

Jésus tient ce discours à ses disciples un jeudi soir, veille de la Pâque juive. La nuit même, il sera arrêté, et le lendemain, condamné et crucifié. Il le sait. Il l'accepte. Et c'est même ainsi qu'il entend manifester de manière ultime ce qu'est l'amour-*agapè*. Car le propre de l'égoïsme, qui est universel, c'est de toujours vouloir s'affirmer davantage, quitte à dominer l'autre ; c'est la volonté d'affirmation de soi et de puissance qui est à l'origine de toutes les tyrannies et de toutes les guerres. Jésus veut montrer que l'*agapè* divin est son exact opposé. Il est la manifestation de la non-puissance. Non pas par impuissance, comme chez un enfant ou un individu dénué de forces ou de pouvoir, mais par refus libre et volontaire d'utiliser la force dont on dispose. L'amour-*agapè* se manifeste pleinement par le retrait, l'abnégation librement consentie. C'est exactement ce que fait Jésus en acceptant d'être trahi par l'un des siens, puis livré à ses accusateurs, puis injurié et torturé, et enfin crucifié. Jésus est mort en rendant témoignage à la vérité de l'amour comme don de soi. Comme je l'ai évoqué dans un autre ouvrage[1], la mort de Jésus est conforme à son message : il renverse les valeurs sociales de préséance (« les premiers seront les derniers »), il élève les humbles, il s'adresse en priorité

1. *Le Christ philosophe*, *op. cit.*, épilogue.

aux pauvres et aux exclus, il fait l'éloge des enfants, lave les pieds de ses disciples, révèle le cœur de son enseignement à une femme étrangère et pécheresse, et il meurt de la manière la plus dégradante qui soit, crucifié comme un criminel. La figure du Messie qu'il impose n'est pas celle d'un Messie glorieux qui anéantit ses ennemis, mais d'un Messie « doux et humble de cœur » (Matthieu, 11, 29) qui renonce à exercer sa puissance face à ceux qui le persécutent. C'est d'ailleurs ainsi que, au-delà de leur sens symbolique et de la manifestation de sa compassion, on peut comprendre les miracles de Jésus. S'il n'avait pas d'abord montré sa puissance par des signes extraordinaires, nul n'aurait pu comprendre qu'il s'est lui-même interdit d'exercer cette puissance pour échapper à la mort. Sans ces démonstrations préalables de sa puissance, on aurait probablement pensé qu'il n'avait pas le pouvoir d'éviter sa fin tragique. Or la force dramatique et énigmatique des Évangiles tient dans cette contradiction entre la puissance que Jésus manifeste à travers ses miracles, tout au long de sa vie publique, et la non-puissance qu'il manifeste lors de sa passion. Cette contradiction flagrante et apparemment absurde n'a d'ailleurs pas échappé aux témoins de sa crucifixion : « Il en a sauvé d'autres [...] qu'il se sauve lui-même s'il est le Christ de Dieu, l'Élu ! » (Luc, 23, 35).

Non seulement Jésus inverse la figure du Messie tout-puissant, mais il inverse aussi celle du Messie terrestre. Il clame haut et fort que son Royaume n'est pas de ce monde. Par cette sortie « hors du monde », il montre que le véritable règne de Dieu est dans l'au-delà. Tout le sens de sa résurrection – autant qu'elle ait eu lieu, évidemment, mais rien n'empêche le non-croyant d'essayer de comprendre la cohérence du mythe chrétien, à défaut de sa véracité – se comprend dans cette logique de sortie du monde, de passage d'un Royaume terrestre à un Royaume céleste. Ce qu'affirment les Évangiles, c'est que Jésus n'est pas venu sur terre pour imposer le Règne de Dieu, mais pour attirer les hommes à lui et leur montrer le chemin qui conduit au Royaume des cieux, dont il manifeste l'existence par sa résurrection, puis par son ascension au ciel, ce ciel qui n'est pas un lieu physique, mais le symbole de l'au-delà. Un Messie guerrier aurait triomphé de ses ennemis par la force, et imposé la loi divine sur terre. Jésus est un Messie crucifié, « scandale pour les Juifs et folie pour les païens », selon la formule de Paul (1 Corinthiens, 1, 23), qui entend manifester par l'abandon de soi ce qu'est l'*agapè*, l'amour divin.

À l'aune de cet amour, l'enseignement du Christ apparaît dans sa singularité : l'acte d'adoration explicite n'est pas nécessaire pour que l'esprit humain soit en liaison avec Dieu, pour qu'il soit mû par l'Esprit qui « souffle où il veut » (Jean, 3). Tout homme qui agit de manière vraie et aimante est relié à Dieu, source de toute bonté. C'est ainsi que le théologien protestant Dietrich Bonhoeffer – exécuté en 1945 au camp de concentration de Flossenbürg par les nazis pour avoir participé à un complot contre Hitler – a parlé du Christ comme du « Seigneur des irréligieux[1] ». En

1. Sa pensée ultime nous est connue à travers ses lettres de captivité rassemblées et publiées en 1951 sous le titre *Résistance et soumission* (Labor et Fides).

observant les fidèles de toutes les religions, nous faisons sans peine le constat que la connaissance des Écritures saintes, le lien explicite avec Dieu, l'accomplissement des prières rituelles et des règles religieuses, peuvent sans doute aider le croyant, mais qu'ils ne constituent jamais la garantie d'une conduite exemplaire ni d'une vie bonne. À l'inverse, l'absence de religion n'empêchera pas un homme d'être vrai, juste et bon. Le message du Christ valide cette observation universelle en lui donnant un fondement théologique : de manière ultime, adorer Dieu, c'est aimer son prochain. Et le salut est offert à tout homme de bonne volonté qui agit en vérité selon sa conscience. C'est la raison pour laquelle Jésus enseigne à la Samaritaine (Jean, 4) qu'aucune médiation humaine, aucun geste sacrificiel, aucune institution, ne sont indispensables pour permettre à l'homme d'être relié à Dieu et de vivre de sa grâce, qui ouvre les portes de la vie éternelle. Dans la célèbre parabole du Jugement dernier, il l'affirme on ne peut plus clairement en disant aux justes : « Venez, les bénis de mon Père, recevez en héritage le Royaume qui vous a été préparé depuis la fondation du monde. Car j'ai eu faim et vous m'avez donné à manger, j'ai eu soif et vous m'avez donné à boire, j'étais un étranger et vous m'avez accueilli, nu et vous m'avez vêtu, malade et vous m'avez visité, prisonnier et vous êtes venus me voir. » Et lorsque les justes, qui ne connaissent pas Jésus, s'étonnent de tels propos, il leur fait cette réponse : « En vérité je vous le dis, dans la mesure où vous l'avez fait à l'un de ces plus petits de mes frères, c'est à moi que vous l'avez fait » (Matthieu, 25, 34-40).

La compassion bouddhiste

Même si Jésus entend révéler l'amour-don de caractère divin, son enseignement ne récuse pas pour autant l'*éros* socratique, ce désir jamais assouvi qui conduit le cœur humain à s'attacher à ce qui lui manque et qui peut le mener jusqu'à la beauté, la bonté et la vérité suprême. Il n'en va pas de même avec le Bouddha. Ce dernier condamne sans équivoque l'amour-désir. Son enseignement, comme nous l'avons vu dans le chapitre sur la vérité, vise même à l'éradiquer. Le but du Bouddha est d'éliminer toute souffrance. Puisque le désir-soif est cause de la souffrance, il convient d'y renoncer de manière radicale. L'ascèse et la pratique de la méditation bouddhiste visent à supprimer tout désir, toute soif, tout manque et tout attachement. L'amour-*éros* est donc parfaitement identifié par le Bouddha, mais désigné par lui comme ce qui procure de la souffrance, et, à ce titre, absolument condamné. Car, contrairement à Socrate et à Jésus, le Bouddha ne croit pas en l'existence d'un dieu absolument bon, source de toute bonté, auquel notre désir pourrait nous conduire et nous attacher pour notre plus grand bonheur. Il ne voit donc dans l'amour-désir que l'attachement qui sécrète de la souffrance, car source d'une insatisfaction permanente. Il ne prône guère plus l'amour-*philia,* l'amitié réciproque, car celle-ci peut aussi conduire au malheur. Notre ami peut ne plus nous aimer, ou bien il peut mourir, et ces traumatismes (qui découlent de notre attachement) peuvent conduire à une grande souffrance. Tout amour-attachement est donc banni par le Bouddha.

Dans ces conditions, peut-il exister encore une forme d'amour dans le bouddhisme ? Ou bien l'indifférence envers autrui est-elle de mise pour ne jamais souffrir ? L'impassibilité serait-elle alors la vertu suprême ?

Cette question a travaillé en profondeur la pensée bouddhiste au cours des siècles qui ont suivi la mort du fondateur. C'est autour de ce point central que se sont développées maintes controverses et que la principale scission s'est produite au sein du *sangha*. Pour les tenants de la voie ancienne, en effet, le Bouddha a enseigné le respect absolu de tout être vivant, qui implique le refus de tuer tout être sensible. Ce respect envers toute vie, qui se manifeste par une non-violence radicale, est au principe même du message bouddhiste, puisque la violence reste liée au désir et à l'attachement. On peut donc parler dans le message originel du Bouddha d'un amour de bienveillance, *maitrî* en sanskrit. Pour se libérer du samsara et épuiser son karma négatif, l'individu ne doit avoir aucune pensée négative, ne commettre aucun acte malveillant. Il doit vouloir le bien de tout être vivant et agir en conséquence. Mais on pourrait dire qu'il agit ainsi par égoïsme. C'est pour se libérer de la ronde des renaissances qu'il décide de ne pas faire de tort aux autres. Même s'il agit bien envers autrui, il poursuit avant tout son intérêt personnel. C'est le reproche que feront aux Anciens les tenants d'une autre compréhension du message du Bouddha. Ceux-ci entendent en effet briser cet égoïsme viscéral en affirmant que le respect envers tout être vivant doit se comprendre dans un sens beaucoup plus actif et élargi : celui d'une compassion active et universelle.

Cette compassion – *karunâ* en sanskrit – se définit comme une infinie bonté, une capacité à vivre la souffrance d'autrui et à lui tendre la main pour l'aider à sortir du cycle du samsara. Si le Theravada, la voie dite des Anciens, insiste sur le travail entrepris par chaque individu pour accéder à l'Éveil et sortir du samsara, la majorité bouddhiste, réunie autour du Mahayana, ou Grand Véhicule, a fait de la compassion la vertu cardinale du bouddhisme. Dès lors, toute la littérature bouddhiste du Grand Véhicule, mais aussi celle du Theravada, à son tour fortement influencé par la doctrine de la compassion au fil des siècles, va relire toute la vie et les enseignements du Bouddha à l'aune de cette vertu suprême. Petit détail historique assez étonnant : c'est vers le début de notre ère, au moment même où Jésus délivre son message sur l'amour-don, que le Grand Véhicule l'emporte de manière décisive dans la lointaine Asie bouddhiste, et que l'amour-compassion devient le pivot du dharma.

La doctrine bouddhiste réfute aussi avec force la loi du talion et prône l'amour des ennemis : « Même si l'on te frappe avec la main, avec un bâton ou avec un couteau, ton état d'esprit ne doit pas changer, tu n'auras pas de mauvaises pensées, tu répondras par la compassion et l'amour et sans aucune colère », enseigne le Bouddha à son disciple Phagguna (*Majjhima Nikaya*, 21, 6), ce qui n'est pas sans faire écho à la parole de Jésus : « À qui te frappe sur une joue, présente encore l'autre » (Luc, 6, 29). Mais on pourrait faire remarquer que la compassion du Bouddha est encore plus universelle que celle du Christ, puisque c'est à tout être vivant que s'adresse son enseignement salvateur. En cela, il va plus loin que Jésus et Socrate, qui demeurent cantonnés à un horizon anthropocentrique. L'une des conséquences qui découlent de la pensée du Bouddha est un profond respect pour les animaux et la nature dans sa totalité. Ce respect qui imprègne la tradition bouddhiste est loin d'être partagé par la tradition occidentale grecque et judéochrétienne, où la compassion à l'égard de la souffrance animale est quasi absente.

Influencées par les doctrines mahayanistes, les biographies du maître racontent que, lorsqu'il entra en méditation sous le pipal de Bodh-gayâ, celui qui n'était pas encore le Bouddha fut traversé par le souvenir de son enfance ; il s'installait alors à l'ombre d'un arbre, dans les jardins de son père, et observait les agriculteurs labourant les champs sous le dur soleil indien. Il n'était qu'un enfant, mais il éprouvait déjà une immense compassion, à la fois pour les laboureurs qui travaillaient rudement et pour les insectes qui mouraient, déchiquetés, écrasés sous la pesée de la charrue. Cette compassion est décrite comme un sentiment de profonde empathie à l'égard de ces êtres violentés par la vie, de ces êtres en souffrance. Ce souvenir, affirment les biographies du Bouddha, va être le point de départ du processus qui le conduira à son Éveil et à la découverte des « quatre nobles vérités ». Ses biographes nous disent aussi que, sa vie durant, le Bouddha compatira à la souffrance de tous les êtres, faisant preuve de bonté et d'empathie même à l'égard de la plus fluette pousse d'herbe. De ses moines, le Bouddha exigeait qu'ils prêtent attention les uns aux autres, qu'ils exercent les uns à l'égard des autres la même attention qu'ils montraient à son propre égard. Arrivé un jour dans l'un des monastères de sa communauté, le Bouddha croise Putigatta, un moine vieux et malade qui baigne dans son urine et ses excréments sans que les autres moines, entièrement dévolus à leurs pratiques et à leurs méditations, songent à prendre soin de lui : « Je ne fais rien pour les autres moines, c'est pourquoi ils ne s'occupent pas de moi », dit Putigatta en s'excusant presque de l'état de crasse dans lequel il se trouve. Aidé de son fidèle compagnon Ananda, le Bouddha baigne Putigatta, lave sa robe et entreprend de le soigner. Après quoi, il convoque tous les moines du monastère et leur reproche leur manque de compassion : « Vous n'avez pas de mère, vous n'avez pas de père pour s'occuper de vous. Si vous ne vous occupez pas les uns des autres, qui s'occupera de vous ? Celui qui prend soin de moi doit prendre soin des malades » (*Vinaya Mahavagga*, 8, 26).

À cette mère qui avait perdu son enfant et qui demandait à l'Éveillé de le ressusciter, celui-ci posa une condition : trouver une seule famille qui n'aurait pas traversé un tel malheur. La femme parcourut toute la ville, frappa à toutes les portes, en vain. Et elle revint au Bouddha, apaisée : elle avait trouvé, auprès de ceux qu'elle avait croisés, la compassion qui lui permettait de surmonter son malheur.

Ses biographes racontent aussi que chaque jour, avant l'aube, le Bouddha omniscient balayait de son regard la terre et tous les autres univers pour savoir qui il irait aider au lever du soleil.

La tradition du Grand Véhicule a ainsi montré que la compassion était la vertu suprême du dharma et que son développement était le véritable but de la pratique spirituelle. C'est pourquoi, même pour un simple débutant dans la voie, toute méditation doit commencer par une intention compassionnelle envers tous les êtres souffrants. L'intention qui motive la pratique spirituelle doit être mue par la compassion. C'est la raison pour laquelle chaque méditant développe cet idéal altruiste en faisant le vœu non plus seulement de se délivrer de la souffrance, mais d'atteindre l'Éveil afin de pouvoir ensuite guider tous les êtres vers la libération ultime. Ce vœu, ou « pensée de l'éveil » (*bodhicitta*), commence ainsi : « Les êtres vivants innombrables, je m'engage à les délivrer. » C'est ainsi que le Grand Véhicule tend non plus seulement vers l'idéal du Bouddha, mais vers celui du *bodhisatva,* qui, bien que libéré des chaînes des renaissances, choisit délibérément de tourner son regard vers ceux qui souffrent encore, et de renaître pour les aider à dépasser la souffrance, à l'instar du philosophe qui revient finalement dans la caverne pour libérer les prisonniers de l'ignorance, ou du Christ qui affirme venir de Dieu et être descendu sur terre pour témoigner de son amour.

Des ouvrages entiers ont été écrits par des théologiens chrétiens pour savoir si la compassion bouddhiste équivalait à l'*agapè* christique. La plupart concluent par la négative en insistant sur le caractère personnel de l'*agapè*, à l'inverse de la doctrine bouddhiste du « non-soi », qui, nous l'avons vu plus haut, considère l'individu comme un agrégat provisoire, sans substrat permanent. Dans une telle conception, comment aimer vraiment une personne qui n'en est pas une ? s'interrogent-ils. Ainsi, Henri de Lubac, fin connaisseur du bouddhisme, n'hésite pas à écrire : « L'essentiel, qui met entre charité bouddhique et charité chrétienne un abîme, c'est que, dans celle-ci, le prochain est aimé en lui-même, tandis que dans celle-là il ne saurait en être question. [...] Dans le bouddhisme, on ne peut aimer en soi-même un "moi" tout illusoire ou qu'il s'agit de détruire : comment dès lors aimerait-on vraiment le "moi" d'autrui ? N'étant pas prise au sérieux, la personne d'autrui ne saurait faire l'objet d'un amour sérieux. [...] La bienveillance bouddhique [...] ne s'adresse pas, elle ne peut pas s'adresser à l'être même, mais seulement à sa misère physique ou morale[1]. »

Cette dernière critique est aussi celle de certains philosophes modernes qui considèrent qu'aimer l'autre par compassion équivaut à ne l'aimer que parce qu'il souffre, et que c'est donc le réduire à sa souffrance. Nietzsche méprisait aussi la charité chrétienne – « la pitié » – autant que la compassion bouddhiste. Mais je crois qu'il s'agit là d'une mauvaise compréhension et de l'*agapè* chrétienne, et de la compassion bouddhiste. La « pitié chrétienne » telle que Nietzsche la dénonce est une caricature de l'amour-don. C'est une posture condescendante, typique de la bourgeoisie chrétienne du XIXe siècle, qui n'a rien à voir avec

1. Henri de Lubac, *Aspects du bouddhisme*, I, Seuil, 1951, pp. 36, 50.

l'amour dont parle Jésus. C'est ainsi que, emporté par sa haine de la compassion, Nietzsche a écrit des pages qui font frémir : « Proclamer l'amour universel de l'humanité, c'est, dans la pratique, accorder la préférence à tout ce qui est souffrant, malvenu, dégénéré... Pour l'espèce, il est nécessaire que le malvenu, le faible, le dégénéré périssent[1]. » On ne peut pas être plus antichrétien et antibouddhiste à la fois. Et cela souligne comme en creux la proximité des deux religions dans leur souci de protéger les faibles, de respecter la vie, de mettre en valeur l'amour pour ceux qui souffrent. C'est là aussi que la critique des théologiens catholiques montre ses limites. Car si, théoriquement, le bouddhisme considère en effet le sentiment d'individualité comme une illusion, pratiquement, le moine ou le laïc bouddhiste est invité à aimer l'autre en tant que tel, puisque c'est en tant qu'individu conscient – même à tort – de son individualité qu'il souffre. Et il suffit de voir dans les pays bouddhistes l'extrême attachement des moines à leurs maîtres spirituels, leurs larmes lorsque ceux-ci décèdent, pour comprendre que l'amour est finalement le plus souvent vécu de manière tout aussi incarnée dans le bouddhisme que dans le christianisme, quelles que soient par ailleurs les divergences doctrinales[2].

1. Nietzsche, *La Volonté de puissance*, 151, Le Livre de poche, p. 166.

2. Je renvoie le lecteur, qui souhaiterait approfondir cette question, à l'excellent petit livre de dialogue de Dennis Gira et Fabrice Midal : *Jésus Bouddha, quelle rencontre possible ?* Bayard, 2006.

La figure majeure du Mahayana est celle d'Avalokitésvara, le Bouddha de la compassion, plus connu en Occident sous son nom tibétain de Tchenrezi, littéralement « celui qui regarde avec compassion », dont le dalaï-lama serait la réincarnation.

J'ai eu l'occasion de rencontrer une dizaine de fois Tenzin Gyatso, le quatorzième et actuel dalaï-lama, et je dois avouer n'avoir jamais ressenti une telle force de compassion chez un être humain. J'ai longuement rapporté dans un autre ouvrage un souvenir personnel qui m'a profondément ému[1]. J'ai été témoin, en 2001, en Inde, dans la résidence du dalaï-lama, d'une rencontre entre le leader tibétain et un Anglais, accompagné de son jeune fils, qui venait de perdre sa femme dans des conditions dramatiques. Lorsqu'il a entendu le récit de cet homme, le dalaï-lama s'est levé et l'a serré dans ses bras, ainsi que le fils, pleurant avec eux deux pendant de longues minutes. Puis, lorsque l'Anglais lui a dit qu'il était devenu bouddhiste après avoir été trop longtemps déçu par le christianisme, le dalaï-lama a fait chercher une magnifique icône orthodoxe du Christ et de la Vierge Marie qui était en sa possession. Il la lui a remise en lui disant : « Bouddha est ma voie, Jésus est ta voie. » L'homme en a été si bouleversé qu'il m'a affirmé ensuite avoir retrouvé le chemin de la foi chrétienne. Cette rencontre a eu lieu sans photographes ni caméras. Le leader tibétain n'avait rien à gagner à passer deux heures avec ce père et son fils qui étaient de parfaits anonymes et qu'il ne devait

1. *Tibet, le moment de vérité*, Plon, 2008.

initialement rencontrer que quelques minutes. Il n'a adopté aucune posture. Il était lui-même : un être humain sincère et bon qui a développé, par soixante ans de pratique spirituelle quotidienne, la vertu de compassion universelle prônée par le Bouddha : « Que tous les êtres soient heureux. Faibles ou forts, de condition élevée, moyenne ou humble, petits ou grands, visibles ou invisibles, proches ou éloignés, déjà en vie ou encore à naître, qu'ils soient tous parfaitement heureux » (*Sutta Nipata*, 118).

C'est sur cette humble histoire vécue que j'aimerais clore ce livre. Elle est assez symptomatique de mon propos et de mon propre parcours. Comme je l'ai dit en avant-propos, Socrate, Jésus et le Bouddha ont été mes trois principaux éducateurs. Loin de s'opposer, ils n'ont cessé, dans mon esprit et dans ma vie, de renvoyer l'un à l'autre. Chacun à sa manière, ils m'ont donné la force de vivre pleinement, les yeux ouverts, en communion joyeuse avec tant d'autres humains de culture et de religions diverses. Ils m'ont aussi appris à accepter mes limites et mes pauvretés, tout en me montrant sans cesse la voie d'un nécessaire progrès. La vie est courte, mais le chemin de la sagesse est long !

Dans la vision de sagesse qui est celle de nos trois maîtres, le vrai et le bien coïncident. La connaissance du vrai n'a de sens que si elle nous permet d'agir de manière bonne. C'est pourquoi le message du Bouddha, de Socrate et de Jésus, est, de manière ultime, un message éthique. Une vie réussie est une vie qui a mis la vérité en pratique. D'où l'importance de leur propre témoignage : s'ils ont marqué des générations d'hommes et de femmes, et s'ils sont encore si crédibles à nos yeux, c'est parce qu'ils ont mis leur enseignement en pratique. Ils ont témoigné par leurs actes de la pertinence de leur message. Et ce qui importe le plus pour eux, c'est la transformation de leurs auditeurs. Leur parole, confirmée par leur vie, doit produire un déclic dans la pensée ou le cœur de ceux qui l'entendent. Elle doit produire « du fruit », pour reprendre l'expression du Christ, et conduire leurs disciples, proches ou lointains, à s'améliorer, à vivre autrement. C'est la raison pour laquelle je les définis avant tout comme des « maîtres de vie ». Ils nous éduquent et nous aident à vivre. Ils ne nous proposent pas un bonheur « clés en main », mais aboutissement d'un véritable travail sur soi. Il ne parlent pas tant de plaisir que de joie. Ce sont des guides exigeants, des accoucheurs bienveillants, d'éternels éveilleurs.

Remerciements

Je remercie vivement Djénane Kareh Tager pour son aide précieuse dans le travail préparatoire de ce livre. Sans son soutien et sa persévérance, cet ouvrage n'aurait pu voir le jour avant longtemps ! Un grand merci également à Leili Anvar, qui l'a relu avec finesse, générosité et vigilance. Une pensée amicale enfin à Susanna Lea et à toute son équipe ainsi qu'à mon éditeur, Claude Durand, qui a publié mon premier livre, il y a vingt ans.

Site Internet de l'auteur :
http://www.fredericlenoir.com

BIBLIOGRAPHIE

SOCRATE

J'ai proposé mes propres traductions de Socrate à partir des diverses œuvres de Platon en grec et en français. Je conseillerai au lecteur français la dernière traduction publiée chez Flammarion : Platon, œuvres complètes, *sous la direction de Luc Brisson (2009). On lira aussi avec profit :*

Anthony Gottlieb : *Socrate*, Seuil, 2000.

Duhot Jean-Noël : *Socrate ou L'Éveil de la conscience*, Bayard, 2000.

Festugière André-Jean : *Socrate*, La Table ronde, 2001.

Grimaldi Nicolas : *Socrate, le sorcier*, PUF, 2004.

Hadot Pierre : *Éloge de Socrate*, Allia, 1998.

Lindon Denis : *Socrate et les Athéniens*, Flammarion, 1998.

Mazel Jacques, *Socrate*, Fayard, 1987.

Romeyer Dherbey Gilbert (dir.) et Gourinat Jean-Baptiste (éd.) : *Socrate et les socratiques*, Vrin, 2000.

Thibaudet Albert : *Socrate*, CNRS éditions, 2008.

Vernant Jean-Pierre : *Les Origines de la pensée grecque*, PUF, 1962.

Vlastos Gregory : *Socrate, ironie et philosophie morale*, Aubier, 1991.

Wolff Francis : *Socrate*, PUF, 2000.

Jésus

Sauf mention contraire, toutes les citations des Évangiles sont tirées de l'excellente traduction de La Bible de Jérusalem (Cerf, 2000). Voici quelques ouvrages que j'ai utilisés pour parler de Jésus :

Goguel Maurice : *Jésus*, Paris, 1950.
Klausner Joseph : *Jésus de Nazareth*, Payot, 1933.
Lenoir Frédéric : *Le Christ philosophe*, Plon, 2007, Seuil, « Points », 2009.
Léon-Dufour Xavier : *Les Miracles de Jésus selon le Nouveau Testament*, Seuil, 1977.
Meier John P. : *Un certain juif, Jésus* (4 volumes), Cerf, 2004 et 2005.
Schlosser Jacques : *Jésus de Nazareth*, Noesis, 1999.
Stanton Graham : *Parole d'Évangile ?* Cerf-Novalis, 1997

Bouddha

Les paroles du Bouddha que j'ai citées proviennent de corpus de sutras publiés en langue anglaise. Voici quelques textes traduits ou des ouvrages généraux en français que je recommande au lecteur :

Armstrong Karen : *Le Bouddha*, Fides, 2003.
Bareau André : *Bouddha*, Seghers, 1962.
Droit Roger-Pol : *Les Philosophes et le Bouddha*, Seuil, 2004.
Foucher Albert : *Vie de Bouddha d'après les textes et les monuments de l'Inde*, Librairie d'Amérique et d'Orient Jean Maisonneuve, 1993.
Rachet Guy : *Vie du Bouddha*, extraits du Lalitâvistara, Librio, 2004.
Rahula Walpola : *L'Enseignement du Bouddha d'après les textes les plus anciens*, Seuil, 2004.

Rinpoché Kalou et Teundroup Denis : *La Voie du Bouddha selon la tradition tibétaine*, Seuil, 2000.
Sami Dhamma : *La Vie de Bouddha et de ses principaux disciples*, Dhammadana, 2005.
Wijayaratna Môhan : *Les Entretiens du Bouddha*, Seuil, 2001.
Wijayaratna Môhan : *Sermons du Bouddha* (traduction intégrale de 20 textes du canon bouddhique), Seuil, 2006.

ÉTUDES COMPARÉES

Bréhier Émile : *Histoire de la philosophie*, Félix Alcan, 1928.
Comte-Sponville André : *Petit Traité des grandes vertus*, PUF, 1995, Seuil, « Points », 2006.
Eliade Mircea : *Histoire des croyances et des idées religieuses* (3 volumes), Payot, 1990.
Ferry Luc : *Apprendre à vivre*, Plon, 2007.
Gira Dennis et Midal Fabrice : *Jésus Bouddha, quelle rencontre possible ?*, Bayard, 2006.
Jaspers Karl : *Les Grands Philosophes, Socrate, Bouddha, Confucius, Jésus*, Pocket, 1989.
Lenoir Frédéric : *Petit Traité d'histoire des religions*, Plon, 2008.
Lenoir Frédéric et Tardan-Masquelier Ysé (dir.) : *Encyclopédie des religions*, Bayard, 1997.
Thich Nhat Hanh : *Bouddha et Jésus sont des frères*, Pocket, 2002.
Vallet Odon : *Jésus et Bouddha, destins croisés du christianisme et du bouddhisme*, Albin Michel, 1999.

TABLE

DU MÊME AUTEUR
(ouvrages disponibles)

Fiction

- *Bonté divine !*, avec Louis-Michel Colla, théâtre, Albin Michel, 2009.
- *L'Élu, le fabuleux bilan des années Bush*, scénario d'une BD dessinée par Alexis Chabert, l'Écho des savanes, 2008.
- *L'Oracle della Luna*, roman, Albin Michel, 2006. Le Livre de poche, 2008.
- *La Promesse de l'ange*, avec Violette Cabesos, roman, Albin Michel, 2004. Prix des maisons de la presse 2004. Le Livre de poche, 2006.
- *La Prophétie des deux Mondes*, scénario d'une saga BD dessinée par Alexis Chabert.
  Tome 1 : « L'Étoile d'Ishâ », Albin Michel, 2003.
  Tome 2 : « Le Pays sans retour », Albin Michel, 2004.
  Tome 3 : « Solâna », Albin Michel, 2005.
  Tome 4 : « La Nuit du Serment », Vent des savanes, 2008.
- *Le Secret*, conte, Albin Michel, 2001. Le Livre de poche, 2003.

Essais et documents

- *Petit Traité d'histoire des religions*, Plon, 2008.
- *Tibet. Le moment de vérité.* Plon, 2008. Prix « Livres et droits de l'homme » de la ville de Nancy.
- *Le Christ philosophe*, Plon 2007. Points, 2009.
- *Code Da Vinci, l'enquête*, avec Marie-France Etchegoin, Robert Laffont, 2004. Points, 2006.
- *Les Métamorphoses de Dieu*, Plon, 2003. Prix européen des écrivains de langue française 2004. Hachette littérature, 2005.
- *L'Épopée des Tibétains,* avec Laurent Deshayes, Fayard, 2002.
- *La Rencontre du bouddhisme et de l'Occident*, Fayard, 1999. Albin Michel, « Spiritualités vivantes », 2001.
- *Le Bouddhisme en France*, Fayard, 1999.

– *Le Temps de la responsabilité.* Postface de Paul Ricœur, Fayard, 1991.

Entretiens

– *Mon Dieu... Pourquoi ?* avec l'abbé Pierre, Plon, 2005.
– *L'Alliance oubliée. La Bible revisitée*, avec Annick de Souzenelle, Albin Michel, 2005.
– *Mal de Terre*, avec Hubert Reeves, Seuil, 2003. Points, 2005.
– *Le Moine et le Lama,* avec Dom Robert le Gall et Lama Jigmé Rinpoché, Fayard, 2001. Le Livre de poche, 2003.
– *Sommes-nous seuls dans l'univers ?* avec J. Heidmann, A. Vidal-Madjar, N. Prantzos et H. Reeves, Fayard, 2000. Le Livre de poche, 2002.
– *Fraternité*, avec l'abbé Pierre, Fayard, 1999.
– *Entretiens sur la fin des temps*, avec J.-C. Carrière, J. Delumeau, U. Eco et S. J. Gould, Fayard, 1998. Pocket, 1999.
– *Mémoire d'un croyant,* avec l'abbé Pierre, Fayard, 1997. Le Livre de poche, 1999.
– *Toute personne est une histoire sacrée*, avec Jean Vanier, Plon, 1995.
– *Les Trois Sagesses*, avec M.D. Philippe, Fayard, 1994.
– *Les Risques de la solidarité*, avec Bernard Holzer, Fayard, 1989.

Direction d'ouvrages encyclopédiques

– *La Mort et l'immortalité, encyclopédie des croyances et des savoirs*, avec Jean-Philippe de Tonnac, Bayard, 2004.
– *Le Livre des sagesses*, avec Ysé Tardan-Masquelier, Bayard, 2002 et 2005 (poche).
– *Encyclopédie des religions*, avec Ysé Tardan-Masquelier, 2 volumes, Bayard, 1997 et 2000 (poche).

Photocomposition Nord Compo
Villeneuve-d'Ascq

Pour l'éditeur, le principe est d'utiliser des papiers composés de fibres naturelles, renouvelables, recyclables et fabriquées à partir de bois issus de forêts qui adoptent un système d'aménagement durable.
En outre, l'éditeur attend de ses fournisseurs de papier qu'ils s'inscrivent dans une démarche de certification environnementale reconnue.

Impression réalisée par
CPI BRODARD ET TAUPIN
La Flèche

pour le compte des Éditions Fayard
en janvier 2010

Imprimé en France
Dépôt légal : décembre 2009
N° d'impression : 56376
35-57-3917-8/15